BIENVENUE À SPOOKSVILLE, LA VILLE DE LA PEUR

Adam Freeman n'avait pas choisi de venir vivre à Spooksville. Mais quand on a douze ans, on ne vous demande pas toujours votre avis. Et ses parents avaient décidé de déménager, à cause du travail de M. Freeman.

En réalité, la petite bourgade au bord de l'océan s'appelait Springville. Mais les enfants du coin l'avaient vite débaptisée pour lui donner ce surnom inquiétant de Spooksville, la ville de la peur. Car ils savaient à quel point l'endroit pouvait être dangereux.

Non seulement la nuit.

Mais même le jour.

C'était là l'une des particularités de Spooksville.

Ses monstres n'attendaient pas tous la tombée de la nuit pour se manifester.

LES LIVRES DE CHRISTOPHER PIKE

Série *Spooksville*

1. **La ville de la peur**
2. **Le fantôme de l'océan**
3. **La grotte sans issue**
4. **Les kidnappeurs de l'espace**

Collection Frissons

La falaise maudite (Grand Prix de l'imaginaire 1995)
Souvenez-vous de moi

CHRISTOPHER PIKE

SPOOKSVILLE ™

LA VILLE DE LA PEUR

Traduit de l'américain par
Jean-Baptiste MÉDINA

POCKET

Titre original :
The Secret Path

Publié pour la première fois en 1995
par Pocket Books, États-Unis.

À Pat, mon éditeur

Loi n" 49-956 du 16 juillet 1949 sur les publications
destinées à la jeunesse : avril 1997.

1

Adam Freeman n'avait pas choisi de venir vivre à Spooksville. Mais quand on n'a que douze ans, on ne vous demande pas toujours votre avis. Et ses parents avaient décidé de déménager, à cause du travail de M. Freeman. En réalité, la petite bourgade au bord de l'océan s'appelait Springville. Mais les enfants du coin l'avaient vite débaptisée pour lui donner ce surnom inquiétant de Spooksville, la ville de la peur. Car ils savaient à quel point l'endroit pouvait être dangereux. Non seulement la nuit.

Mais même le jour.

C'était là l'une des particularités de Spooksville.

Ses monstres n'attendaient pas tous la tombée de la nuit pour se manifester.

Toutefois, en récupérant ses affaires dans la fourgonnette pour les emporter dans sa nouvelle chambre,

Adam ne songeait guère aux monstres et au surnaturel. Et il ignorait que sa vie allait bientôt en être bouleversée.

– Adam ! appela son père, tu viens m'aider à transporter le canapé ?

– Tout de suite, Papa !

Adam laissa tomber par terre un carton rempli de vêtements et se précipita. Il aimait se rendre utile, et adorait son père. Pourtant, le chargement de la fourgonnette deux jours plus tôt à Kansas City, Missouri, lui donnait encore des courbatures. M. Freeman avait roulé sans s'arrêter jusqu'à la côte Ouest, pendant qu'Adam dormait sur un matelas pneumatique à l'arrière du véhicule. Un voyage assez éprouvant.

Adam n'était pas très grand pour son âge, mais il « poussait » normalement et se disait qu'il rattraperait bientôt les autres. Le problème, c'est qu'il n'y avait plus personne à rattraper maintenant que tous ses amis se trouvaient à plus de mille cinq cents kilomètres. Adam pensa tout à coup à Sammy et à Mike. Il se demanda ce qu'ils faisaient en ce moment précis.

– Ça veut dire quoi, cet air-là ? s'inquiéta son père en lui caressant les cheveux. Tu as déjà le mal du pays ?

Adam haussa les épaules.

– Non, non, ça va.

– Tu auras vite de nouveaux amis, Adam. Il n'y a pas que dans le Missouri qu'on rencontre des garçons sympa.

M. Freeman eut un petit sourire et ajouta :

– Ou des filles sympa...

Adam se hâta d'empoigner le canapé par-dessous.

– Les filles ne m'intéressent pas, marmonna-t-il. D'ailleurs, elles ne me regardent même pas.

– C'est quand on ne s'intéresse pas à elles qu'elles se mettent à vous courir après.

– Tu crois ?

– Oui, avec un peu de chance.

Son père se pencha pour saisir le meuble de l'autre côté.

– On y va ? À trois, on le soulève. Un... deux...

– Tu sais, dit Adam, je ne connaissais pas vraiment de filles, à Kansas City.

M. Freeman se redressa.

– Et cette Denise ? Tu la voyais tout le temps.

Adam rougit.

– Denise n'était qu'une copine. Elle n'avait pas...

Il fronça les sourcils, cherchant le mot juste.

– Ce n'était pas une fille du genre *fille*, quoi.

– Ah bon ? s'étonna M. Freeman. Elle me donnait pourtant cette impression.

Il se pencha de nouveau.

– Allez, emportons ce machin dans la maison et finissons-en. Un, deux...

– Trois ! s'exclama Adam en soulevant brusquement le canapé de toutes ses forces.

– Aaah !

Son père, pris de court, lâcha le canapé et s'étreignit les reins. Une expression douloureuse traversa son visage.

– Tu t'es fait mal ? demanda Adam, tout en pensant que la question était stupide.

M. Freeman leva la main en guise de réponse et descendit de la fourgonnette en boitillant.

– Ce n'est rien, souffla-t-il, ne t'inquiète pas. Je me suis seulement froissé un muscle. De toute façon, nous avons besoin d'une petite pause.

– Je suis désolé, Papa.

– Ce n'était pas ta faute.

Adam s'en voulut néanmoins. Son père n'avait pas exactement la forme olympique. Depuis quelque temps, il prenait du poids et son estomac commençait à déborder au-dessus de sa ceinture. « Trop de doughnuts * et de sodas », se disait Adam, qui aimait pourtant ça lui aussi.

---

* Sortes de beignets.

— Ça va bien, je t'assure, répéta M. Freeman. Arrêtons cinq minutes et buvons quelque chose. Qu'est-ce que tu voudrais ?

— Un Coke.

— Je ne crois pas que nous ayons des Coca-Cola au réfrigérateur.

— Je ne crois pas que nous ayons un réfrigérateur, rectifia Adam. Il est ficelé au fond de la fourgonnette. Nous ne l'avons pas encore déchargé.

— Seigneur, tu as raison.

Son père poussa un gémissement et s'assit en tailleur sur la pelouse.

— Tu veux que j'aille dire à Maman que tu es blessé ? reprit Adam.

— Non, laisse-la, elle est occupée. Va plutôt voir s'il y a un drugstore dans les parages et rapporte-nous six canettes de Coca.

M. Freeman extirpa de sa poche un billet de vingt dollars et le lui tendit. Adam prit le billet.

— D'accord. Je reviens dans quelques minutes.

M. Freeman se renversa dans l'herbe et contempla le ciel.

— Prends tout ton temps, dit-il. Je n'ai pas envie de bouger pour le moment.

2

C'est en revenant du drugstore avec son pack de Coca-Cola qu'Adam fit la connaissance de Sally Wilcox, une fille d'à peu près son âge. Elle se glissa derrière lui sans crier gare. Avec sa mince silhouette montée en graine et ses beaux cheveux châtains qui retombaient sur ses épaules, elle était vraiment jolie. Nul doute qu'une fée s'était penchée sur son berceau. Il faisait chaud, et elle portait un short blanc qui découvrait de longues jambes fluettes et bronzées. Elle avait les plus grands yeux noirs qu'Adam ait jamais vus. Bref, aucun point commun avec Denise, là-bas, dans le Missouri.

– Salut ! dit-elle. C'est toi, le nouveau venu en ville ?

– Cela se pourrait. Je viens juste de débarquer.

Elle lui tendit la main.

– Je m'appelle Sally. Sally Wilcox.

– Moi, c'est Adam Freeman.

Adam serra la main tendue. Sally avait une poigne vigoureuse. Son regard se posa sur les canettes de Coca.

– Elles sont fraîches ?

– Oui.

– Je peux en avoir une ?

Il n'osait pas refuser ! Il lui donna donc une canette de Coca, qu'elle ouvrit promptement et but d'une seule traite. Elle ne laissa même pas échapper un rot après. Adam fut impressionné.

– Tu devais avoir drôlement soif, observa-t-il.

– En effet.

Elle l'étudia un moment.

– Tu as l'air déprimé, Adam.

– Hein ?

– Tu as l'air triste. En vrai, tu es triste ?

– Non, fit-il en haussant les épaules.

Sally hocha la tête d'un air entendu.

– Tu as laissé derrière toi quelqu'un de spécial. Je te comprends.

Adam ouvrit des yeux ronds. Cette fille était décidément bizarre.

– De quoi parles-tu ?

– Tu n'as pas besoin d'être gêné. Un beau garçon comme toi devait avoir une petite amie, là d'où tu viens, quel que soit l'endroit... C'était où, au fait ?

– Kansas City.

Elle inclina la tête avec sympathie.

– Elle est bien loin de toi, maintenant.

– Qui ça ?

– Je viens à peine de te rencontrer, Adam. Comment veux-tu que je connaisse son nom ?

Adam fronça les sourcils.

– Mes meilleurs amis à Kansas City s'appellent Sammy et Mike, mais je...

– Si tu ne veux pas parler d'elle, ça m'est égal, interrompit Sally avec impatience. Je traverse moi-même une crise d'identité en ce moment.

Elle hésita, et ajouta :

– Mais on ne le devinerait pas en me regardant, hein ?

– Heu, non.

– Parce que je le cache. Je souffre en silence. C'est mieux ainsi, ça vous forge le caractère. Ma tante dit que j'ai un visage plein de caractère. Tu crois que c'est vrai ?

– Je suppose...

Adam préféra poursuivre son chemin. Les Coca risquaient de tiédir, et Sally l'étourdissait quelque peu. C'était toutefois gentil de sa part de le trouver beau garçon. Il ne savait que penser de sa propre apparence. Il avait les cheveux châtains, comme ceux de Sally, mais certes pas aussi longs. Son père, qui aimait les pelouses et les têtes bien tondues, les lui coupait lui-même. Adam n'était pas non plus aussi grand que Sally, qui paraissait montée sur des échasses. Mais les gens lui disaient qu'il avait un beau visage. Du moins sa mère, quand elle était de bonne humeur.

Sally lui emboîta le pas.

– Tu vas me présenter à ta famille ? J'adore rencontrer des parents. On peut se faire une bonne idée de ce qu'un garçon va devenir rien qu'en regardant son père.

– Manquait plus que ça... marmonna Adam.

– Qu'est-ce que tu dis ?

– Rien. Tu vis ici depuis combien de temps ?

– Douze ans. Toute ma vie. Je fais partie de ceux qui ont de la chance.

– Tu veux dire que c'est chouette d'habiter Springville ?

– Non. Je veux dire que j'ai de la chance d'être encore en vie. Les enfants de Spooksville ne parviennent pas tous à l'âge de douze ans.

– Spooksville ? Qu'est-ce que c'est ?

Sally prit un air grave :

– C'est l'endroit où tu te trouves, Adam. Seuls les adultes l'appellent Springville. Les enfants, qui connaissent sa véritable histoire, lui donnent le surnom mérité de Spooksville.

– Mais pourquoi ? s'étonna Adam.

Elle se pencha vers lui comme pour lui confier un secret.

– Parce que, ici, des gens disparaissent. En général des gamins comme nous. Personne ne sait où ils vont, personne n'en parle plus jamais. Tout le monde a trop peur.

Adam sourit, mal à l'aise.

– Tu te moques de moi ?

– Je te dis la stricte vérité. Cette ville est dangereuse. Elle est maudite. Je te conseillerais même de ficher le camp avant le coucher du soleil.

Elle lui posa la main sur l'épaule.

– Ce n'est pas que j'aie envie de te voir partir, tu sais.

– Je ne vais pas partir, protesta Adam. Je ne crois pas qu'une ville entière puisse être maudite. Je ne crois ni aux vampires ni aux loups-garous et autres fadaises de ce genre. Pas comme toi. D'ailleurs cela m'étonne de ta part, et je commence à penser que tu traverses *vraiment* une crise d'identité.

Sally le regarda longuement.

— Avant de décider que je suis folle, laisse-moi te raconter l'histoire de Leslie Lotte, dit-elle enfin. Il y a un mois, elle habitait encore dans mon quartier. Elle était mignonne. Tu te serais sans doute intéressé à elle si tu l'avais rencontrée avant moi. Quoi qu'il en soit, elle avait un don pour fabriquer des choses : des bijoux, des vêtements, des cerfs-volants. Les cerfs-volants, c'était son dada. Ne me demande pas pourquoi. Peut-être qu'elle rêvait d'être un oiseau. En tout cas, elle aimait jouer avec ses cerfs-volants dans le parc à côté du cimetière. Oui, tu as bien entendu. À Spooksville, le parc est à côté du cimetière, lequel est à côté du château de la sorcière – lequel est toute une histoire à lui tout seul. Donc, Leslie avait l'habitude de s'aventurer dans le parc toute seule à la tombée de la nuit. J'ai essayé de l'en empêcher, en vain. Le mois dernier, elle était là-bas, seule, en train de faire voler son cerf-volant ; quand, tout à coup, une énorme rafale de vent l'a soulevée en plein ciel, et elle a disparu, engloutie par un gros nuage noir. Est-ce que tu peux croire ça ?

— Non.

Sally parut exaspérée.

— Je ne mens pas ! Mes valeurs morales sont peut-être un peu confuses en ce moment, mais la vérité reste encore importante à mes yeux !

— Si elle était seule dans le parc avec son cerf-volant, comment sais-tu ce qui lui est arrivé ? Qui te l'a dit ?

— Tic-Tac.

— Tic-Tac ? Qui est-ce ?

— Tu le rencontreras. Mais auparavant, je veux que tu saches qu'il n'y a aucun lien romantique entre lui et moi. Nous ne sommes que des amis, au cas où tu t'inquiéterais.

— Je ne m'inquiète pas, Sally. Ça m'est même complètement égal.

— Tant mieux. Tic-Tac a vu Leslie disparaître dans le ciel. Il ne se trouvait pas dans le parc, mais dans le cimetière. Alors, tu vois, concrètement, Leslie était seule dans le parc.

— J'ai l'impression que ton ami Tic-Tac a beaucoup d'imagination.

— C'est vrai. Il ne voit pas très bien, en plus. Mais ce n'est pas un menteur.

— Que faisait-il dans le cimetière ?

— Oh, il y traîne tout le temps. C'est un des rares

garçons de ma connaissance qui apprécie Spooksville. Il aime le mystère et l'aventure. S'il n'était pas si étrange, je serais attirée par lui.

– J'aime aussi le mystère et l'aventure, affirma fièrement Adam.

Cela n'impressionna guère Sally.

– Alors, tu pourras camper une nuit dans le cimetière avec Tic-Tac, et me raconter quel effet ça fait.

Elle montra quelque chose du doigt.

– Ce ne serait pas ta maison, là-bas, par hasard, avec ce type rondouillard étendu sur le gazon ?

– Si, et ce type rondouillard est mon père.

Sally porta la main à sa bouche.

– Mais c'est affreux !

– Mon père n'est pas si moche que ça ! protesta Adam, aussitôt sur la défensive.

– Bien sûr que non. Ce n'est pas l'apparence de ton père qui me choque – sauf qu'il te faudra surveiller ce que tu manges et la quantité d'émissions télé que tu ingurgites au fur et à mesure que tu grandis. C'est la maison !

– Qu'est-ce qu'elle a qui cloche ? Tu ne vas pas me dire qu'on y a assassiné des gens ?

Sally secoua la tête.

– On ne les a pas assassinés.

– Eh bien, tu m'en vois soulagé.

– Ils se sont suicidés, poursuivit-elle. C'était un vieux couple. Nul ne sait pourquoi ils ont fait ça. Ils se sont pendus au lustre du salon.

– Nous n'avons pas de lustre dans le salon.

– Le lustre s'est détaché sous leur poids et il s'est écrasé sur eux. Quelqu'un m'a répété qu'ils n'avaient même pas laissé assez d'argent pour payer leurs funérailles. Leurs corps sont enterrés dans votre cave.

– Nous n'avons pas de cave.

Sally acquiesça.

– La police a dû la condamner, pour vous éviter de trouver les cadavres.

Adam soupira.

– Oh, arrête ! Tu veux que je te présente mon père ?

– Oui. Mais ne me demande pas de rester déjeuner. Je suis très difficile à table.

– Entre nous, le contraire m'aurait étonné, dit Adam.

Adam eut la surprise de constater que Sally produisait une bonne impression sur son père et sa mère. Il faut dire qu'elle se garda de leur parler de sa crise d'identité et ne s'autorisa qu'un minimum de commentaires. Sally ne put rencontrer Claire, la petite sœur d'Adam âgée de sept ans, car celle-ci s'était endormie par terre dans une des chambres. M. Freeman, qui continuait de boiter en se tenant les reins, n'avait pas encore monté les lits. À en juger par sa façon de déambuler comme un singe mal en point, il devait pourtant avoir besoin de s'allonger. Il adressa un clin d'œil à son fils et lui suggéra d'aller se promener avec Sally. Il précisa qu'il n'aurait plus besoin de son aide ce jour-là.

Adam ignorait ce que ce clin d'œil était censé signifier.

Il ne s'intéressait pas à Sally. Pas en tant qu'éventuelle petite amie. Il ne désirait pas avoir de petite amie avant la troisième, au moins.

Mais l'école ne recommencerait que dans trois mois, et il était impatient de vivre tout un été peuplé de monstres et d'angoissantes aventures.

Non qu'il crût un seul mot de ce que Sally lui avait raconté.

– Je vais te faire visiter la ville, décréta celle-ci quand ils émergèrent sur la pelouse. Mais méfie-toi des apparences. Cet endroit a l'air parfaitement normal, pourtant ce n'est pas le cas. Par exemple, il se peut que tu croises une jeune maman promenant son bébé dans un landau. Il se peut qu'elle te regarde en souriant et que tu lui dises « Salut ! ». Il se peut qu'elle ait l'air sympathique, et que son bébé soit mignon. Mais il y a toujours la possibilité que cette jeune mère soit responsable de la disparition de Leslie Lotte, et que son bébé soit un robot androïde.

– Je croyais que c'était un nuage qui avait emporté Leslie.

– Ouais, mais *qui* se cachait dans ce nuage ? Voilà le genre de question que tu dois te poser cet après-midi en inspectant les lieux.

Adam commençait à en avoir assez des avertissements de Sally.

– Je ne crois pas aux robots androïdes. Les androïdes n'existent pas encore. C'est une évidence.

Sally haussa les sourcils d'un air entendu.

– Rien n'est évident à Spooksville.

Springville – Adam refusait d'y penser en l'appelant par son autre nom – était minuscule. Nichée entre deux chapelets de douces collines au nord et au sud, elle affrontait l'océan côté ouest. À l'est, une série de collines plus abruptes montaient vers le ciel. Adam fut tenté de les considérer comme des montagnes, ou presque. Naturellement, Sally prétendit qu'il y avait des tas de cadavres enterrés sous ce décor alpestre. La majeure partie de la ville était construite sur une pente qui descendait peu à peu vers la mer. Non loin du rivage, au bout d'un promontoire rocheux, s'élevait un grand phare qui surplombait de toute sa hauteur le bleu profond des vagues. Sally expliqua que les eaux de Spooksville et de ses environs étaient très dangereuses.

– Il y a des courants souterrains, des tourbillons, dit-elle. Et des requins aussi – des grands blancs. Je connais un type, il faisait du surf à cinquante mètres de la plage à peine, et un requin qui passait par là lui a arraché la jambe droite. Juste comme ça, clac ! Si tu ne me crois pas, tu pourras le lui demander quand tu le verras. Il s'appelle David Green, mais on le surnomme Les Dents de la Mer.

Cette *histoire-là* avait enfin un accent de vérité.

– Je n'ai pas une passion pour la baignade, marmonna Adam.

Sally secoua la tête.

– Tu n'as même pas besoin d'entrer dans l'eau pour avoir des problèmes. Les crabes remontent sur le sable et viennent te pincer... On n'est pas obligés de descendre sur la plage tout de suite, si tu n'y tiens pas, ajouta-t-elle.

– Une autre fois, peut-être, convint Adam.

Ils se dirigèrent néanmoins vers le bord de l'eau. Sally tenait à lui montrer la galerie marchande et le cinéma – lequel, annonça-t-elle, appartenait au croque-mort local. Apparemment, on n'y projetait que des films d'épouvante. Le cinéma et la galerie se trouvaient près de la jetée qui, toujours d'après Sally, était aussi sûre qu'un radeau de planches pourries sur une coulée de lave en fusion. En chemin, ils longèrent un supermarché.

Dans le parking, il y avait une Corvette décapotable noire, la capote baissée. Adam aimait beaucoup les Corvette. Il la contempla au passage, oubliant un moment le bavardage incessant de Sally. Comme une bonne partie de Springville, le parking était aménagé sur une colline. Soudain, un caddie vide se mit à dévaler la pente en direction de la Corvette. Craignant de le voir érafler une si belle voiture, Adam bondit pour l'arrêter. Il entendit Sally crier :

– Adam ! Ne t'approche pas de cette voiture !

Cet avertissement vint trop tard. Adam stoppa le caddie à quelques centimètres de la portière de la Corvette, avec le sentiment d'avoir accompli sa BA de la journée. Il remarqua que Sally n'avait pas bougé d'un pouce. Elle semblait avoir peur d'approcher du véhicule. Tandis qu'il repoussait le caddie un peu plus loin, une voix mystérieuse et douce s'éleva derrière lui.

– Merci, Adam. C'était gentil de ta part.

Il se retourna, et découvrit la plus belle femme qu'il eût jamais vue. Elle était grande, avec de longs cheveux bouclés d'un noir d'ébène, et des yeux verts de chat, aux reflets lumineux. L'étrange pâleur de son visage rehaussait l'éclat de ses lèvres rouge sang. Elle portait une robe légère dont la jupe s'évasait en corolle autour de ses genoux, et tenait entre ses mains, aux ongles aussi écarlates que sa bouche, un petit sac plat. L'expression ahurie d'Adam parut l'amuser.

– Tu te demandes comment je connais ton nom, n'est-ce pas, Adam ?

Il hocha la tête, incapable de parler.

– Il ne se passe pas grand-chose dans cette ville sans

que je le sache, dit-elle. Tu es arrivé aujourd'hui, pas vrai ?

Adam retrouva enfin sa voix.

– Oui, madame.

Elle gloussa.

– Et comment trouves-tu Spooksville, jusqu'ici ?

– Je croyais que seuls les enfants l'appelaient comme ça, bégaya-t-il.

– Oh, certains adultes aussi connaissent son véritable nom. Tu vas d'ailleurs en rencontrer un autre aujourd'hui. Il te dira des choses que tu n'as peut-être pas envie d'entendre. À toi de voir...

Son regard se posa sur le caddie qu'Adam tenait toujours.

– Tu m'as fait une faveur en protégeant ma voiture. J'apprécie ta galanterie, Adam.

– Merci, madame.

– Et tu es bien élevé. C'est rare parmi les jeunes de cette ville...

Elle s'interrompit, et ajouta :

– C'est peut-être une des raisons pour lesquelles ils ont tant de problèmes ? Qu'en penses-tu ?

– Qu... quel genre de problèmes ?

L'inconnue regarda du côté de Sally.

– Je suis sûre que ton amie t'a déjà raconté beaucoup de choses effrayantes sur cette ville. N'en crois pas la moitié. Bien entendu, l'autre moitié, libre à toi d'y croire.

Elle gloussa de nouveau, comme si elle ne résistait pas à quelque plaisanterie intérieure. Puis elle fit un signe à Sally.

— Approche, gamine.

Sally obéit avec réticence et se posta à côté d'Adam. Il se rendit compte qu'elle tremblait. La femme l'étudia de haut en bas et fronça les sourcils.

— Tu ne m'aimes pas, dit-elle.

Sally se troubla.

— Je... je ne faisais que lui montrer la ville...

— En jacassant des sottises !

La femme la menaça du doigt.

— Fais attention à ce que tu racontes. Chaque fois que tu prononces mon nom, ma petite, je l'entends. Et je ne l'oublie pas. Tu saisis ?

Sally tremblait toujours, mais un entêtement soudain lui durcit les traits.

— Je saisis très bien, merci.

— Parfait.

— Et votre vieux château, il tient toujours debout ? ironisa Sally. Vous ne souffrez pas trop des courants d'air ?

Le froncement de sourcils de l'inconnue s'accentua, puis, contre toute attente, elle sourit. Son sourire avait quelque chose de glacial, mais Adam le jugea enchanteur. Cette créature le subjuguait.

– Tu es insolente, Sally, dit-elle. Ça me plaît. J'étais une enfant insolente – jusqu'à ce que j'apprenne à me contrôler.

Elle se tourna vers Adam.

– Tu savais que j'ai un château ?

– Non, je l'ignorais.

Il n'avait jamais vu un château de près, et encore moins pénétré à l'intérieur.

– Aimerais-tu me rendre visite un jour ?

– Non ! intervint brusquement Sally.

Adam la fusilla du regard.

– Je suis assez grand pour répondre moi-même !

– Tu viens de contrarier notre ami, observa la femme d'un ton sec. Et tu me contraries aussi.

Sally parut se rétracter, et recula d'un pas.

La femme tendit la main et caressa la joue d'Adam. Il ne put s'empêcher de frissonner sous ses doigts tièdes et doux. Les yeux verts qui le dévisageaient semblaient le transpercer jusqu'au tréfonds de l'âme.

– Rien n'est tout à fait ce qu'il paraît, murmura-t-elle. Tout individu a plusieurs facettes. Tu entendras raconter bien des choses sur moi – peut-être par cette fille maigrichonne qui t'accompagne, peut-être par d'autres –, mais sache qu'elles ne sont que partiellement vraies.

– Je ne comprends pas, articula Adam.

– Tu comprendras bien assez vite.

Les ongles rouges de l'inconnue remontèrent vers les yeux d'Adam, effleurèrent ses cils.

– Tu as de beaux yeux, Adam, le sais-tu ?

Elle regarda Sally.

– Je suis certaine que Sally est de mon avis.

– Oui, fit Sally avec un sourire forcé. J'avais remarqué.

La femme gloussa silencieusement une fois de plus, tourna les talons et s'éloigna vers sa Corvette. En ouvrant la portière, elle leur jeta un dernier regard par-dessus son épaule.

– Je vous reverrai tous les deux plus tard – dans d'autres circonstances, dit-elle.

Puis elle monta dans la voiture, les salua de la main et démarra.

Sally semblait sur le point d'exploser.

– Sais-tu qui c'était ? s'exclama-t-elle tandis que la voiture s'éloignait.

– Non, répondit Adam qui n'était pas encore remis de ses émotions.

– Anne Templeton ! L'arrière-arrière-arrière-arrière-petite-fille de Madeleine Templeton !

– Ah bon ? Et c'est qui, celle-là ?

– La femme qui a fondé cette ville il y a près de deux cents ans. Une horrible sorcière. Dans cette famille, la sorcellerie se transmet de génération en génération. Tu viens de rencontrer la personne la plus dangereuse de Spooksville. Nul ne sait combien d'enfants elle a tués.

– Elle avait l'air gentil.

– Adam, c'est une sorcière ! Les gentilles sorcières, ça n'existe pas ! Tu dois éviter cette femme si tu ne veux pas finir tes jours transformé en grenouille, et coasser jusqu'à épuisement dans la mare stagnante derrière le cimetière.

Adam dut secouer la tête pour s'éclaircir les idées. C'était comme si l'inconnue lui avait jeté un sort. Mais un sort agréable, qui vous faisait tout chaud à l'intérieur.

– Comment savait-elle mon nom ? murmura-t-il tout haut.

Sally était exaspérée.

– Parce que c'est une sorcière ! Sois réaliste, s'il te plaît ! Il lui a sans doute suffi de se pencher sur un grand chaudron de bave bouillante pour tout apprendre sur toi. Ma parole, je ne serais pas surprise qu'elle ait délibérément fait voler ce caddie vers sa voiture, afin que tu coures l'arrêter. Ça lui donnait l'occasion de te rencontrer et d'ensorceler ton minuscule cerveau. Est-ce que tu m'écoutes, monsieur Kansas City ?

– Le caddie ne volait pas, déclara Adam. Il n'a jamais quitté le sol.

Elle leva les bras au ciel.

– Très bien. Ne me crois pas. Garde tes illusions. Laisse-toi transformer en quelque chose d'affreux, ça m'est égal. J'ai mes propres problèmes.

– Sally, pourquoi me cries-tu toujours après ?

– Parce que je t'aime bien ! Maintenant, filons d'ici. Allons jusqu'à la galerie marchande. Nous y serons en sécurité. Et je veux te montrer les jeux vidéo et les machines à sous.

– Les machines ne sont pas hantées ? s'enquit Adam pour la taquiner.

Sally prit un air excédé.

– Il y en a une qui l'est, répondit-elle. Quand on y glisse une pièce de monnaie, elle vous la jette en pleine figure. Tel que je te connais, tu vas te diriger tout droit vers elle.

– Ça m'étonnerait. Je n'ai pas un sou en poche.

– Alors, me voilà rassurée, marmonna Sally.

4

Ils n'arrivèrent pas jusqu'à la galerie marchande, car ils tombèrent par hasard sur l'ami de Sally – le dénommé Tic-Tac. C'était un individu d'allure intéressante, à peu près du même âge et de la même taille que Sally – avec des cheveux hirsutes, blonds comme le soleil, et des bras qui semblaient traîner jusqu'au sol. Adam comprit instantanément ce qui lui valait son surnom. Il arborait deux montres sur chaque avant-bras, c'est-à-dire quatre que tout le monde pouvait voir, mais Adam se demanda s'il n'en cachait pas d'autres au fond de ses poches. Ses yeux disparaissaient derrière des lunettes aux verres aussi épais que des lentilles de télescope. Manifestement heureuse de le rencontrer, Sally lui présenta Adam.

– Adam vient de Kansas City, annonça-t-elle. Il

arrive tout juste, et il supporte mal le changement de décor.

Adam fronça les sourcils.

– Ça va. C'est pas si terrible.

– Quelles sont tes matières préférées en classe ? voulut savoir Tic-Tac.

– Tic-Tac est dingue de science, expliqua Sally. Si tu aimes la science, Tic-Tac t'aimera. Moi, ça m'est égal que tu sois nul en biologie. Mon amour est inconditionnel.

– J'aime la science, avoua Adam. Pourquoi toutes ces montres ? Une seule ne te suffit donc pas ?

– Elles me donnent l'heure qu'il est aux quatre coins du pays, répondit Tic-Tac.

– Il y a quatre fuseaux horaires en Amérique, précisa Sally.

– Je sais ça, dit Adam. Deux fuseaux horaires séparent Kansas City de la côte Ouest. Mais pourquoi tiens-tu à connaître l'heure dans tous ces endroits ?

Tic-Tac haussa les épaules.

– Ma mère habite à New York, ma sœur vit à Chicago, et mon père à Denver. J'aime savoir quelle heure il est pour chacun d'eux.

Il y avait de la tristesse dans sa voix quand il parlait de cette famille curieusement dispersée. Adam sentit qu'il valait mieux ne pas insister. Sally dut penser la même chose, car elle changea de sujet :

– J'étais en train d'informer Adam des dangers de cette ville, dit-elle. Mais il ne me croit pas.

– Est-ce que tu as vraiment vu Leslie Lotte disparaître dans un nuage ? interrogea Adam.

Tic-Tac regarda Sally.

– Qu'est-ce que tu lui as raconté ?

– Seulement la vérité !

Tic-Tac se gratta la tête. Ses cheveux blonds avaient besoin d'un bon coup de peigne.

– J'ai vu Leslie se perdre dans le brouillard. Ensuite, personne n'a pu la retrouver. Mais il se peut qu'elle ait fait une fugue.

– Le brouillard, un nuage, quelle différence ? objecta Sally. Le ciel l'a engloutie, c'est tout simple... Tic-Tac, qu'est-ce que tu fais aujourd'hui ? Tu veux venir avec nous à la galerie marchande ?

Le visage de Tic-Tac s'éclaira.

– Non, je ne peux pas. J'ai rendez-vous avec Clodo. Il doit me révéler l'accès du chemin secret.

– Tu ne dois pas t'aventurer sur le chemin secret ! s'écria Sally. Tu en mourrais !

– C'est quoi, le chemin secret ? demanda Adam.

– Ne lui dis pas, implora Sally. Il vient juste d'arriver. Je l'aime bien, et je ne veux pas qu'il meure.

– Je ne pense pas risquer la mort, déclara Tic-Tac. Mais il se peut que je disparaisse.

La curiosité d'Adam s'éveilla.

– Comment ça?

– Dis-lui, toi, fit Tic-Tac en regardant Sally.

Elle secoua la tête.

– Non, c'est trop dangereux, et je suis responsable de lui.

– Qui a décrété ça? protesta Adam, irrité. Je me débrouille très bien tout seul. Je ne t'ai rien demandé.

Il s'adressa de nouveau à Tic-Tac.

– Parle-moi de ce chemin. Et dis-moi par la même occasion qui est Clodo.

– Clodo est le clochard de la ville, intervint Sally. Autrefois, c'était notre maire; jusqu'à ce que Anne Templeton, la sorcière, lui ait jeté un mauvais sort.

– C'est vrai, ça? demanda Adam à Tic-Tac.

– Clodo était bien notre maire, reconnut celui-ci. Mais j'ignore s'il est devenu clochard parce qu'on lui a jeté un mauvais sort, ou parce qu'il est trop paresseux. Il a toujours été complètement nul comme maire.

– Alors c'est quoi exactement, ce chemin secret? insista Adam.

– On pense qu'il existe un chemin invisible qui traverse notre ville et qui mène vers d'autres dimensions, expliqua Tic-Tac. Je le cherche depuis des années, mais je ne l'ai jamais trouvé. Clodo est censé le connaître.

– Qui te l'a dit ?

– Clodo lui-même.

– Et pourquoi veut-il te révéler ce secret ? s'étonna Sally. Pourquoi aujourd'hui ?

Tic-Tac resta un moment pensif.

– Je l'ignore. La semaine dernière, je lui ai payé un sandwich. Il veut sans doute me remercier.

– Peut-être qu'il veut que tu te fasses tuer, marmonna Sally.

– Le sandwich n'était pas mauvais à ce point !

– Quand tu prétends que ce chemin mène vers d'autres dimensions, reprit Adam, qu'est-ce que ça signifie ?

– Il n'y a pas qu'un seul Spooksville, dit Sally.

– Hein ?

– Cette ville chevauche d'autres réalités, enchaîna Tic-Tac. Parfois, ces autres réalités viennent se mêler à la nôtre.

– C'est pourquoi Spooksville est un endroit si bizarre, conclut Sally.

Adam avait du mal à en croire ses oreilles.

– Est-ce que vous avez des preuves de tout ça ?

– Pas des preuves directes, répondit Tic-Tac. Il y avait un homme dans mon quartier... on chuchotait qu'il connaissait le chemin secret.

– Il t'en a parlé?

– Il a disparu avant que je puisse l'interroger.

Tic-Tac consulta une de ses montres.

– Clodo m'attend. Vous pouvez venir avec moi, si vous voulez. Mais il faut vous décider tout de suite.

– N'y va pas, Adam, supplia Sally. Tu es jeune. Tu as tout l'avenir devant toi.

Adam ne put s'empêcher de rire. Même s'il avait du mal à y croire, cette histoire de chemin secret le fascinait.

– J'ai une longue et ennuyeuse journée devant moi, dit-il. Je veux voir de quoi il retourne.

Il donna son assentiment à Tic-Tac d'un hochement de tête.

– Allons trouver ce Clodo.

Sally accepta finalement de les suivre, sans cesser de protester qu'elle n'avait pas envie de disparaître à jamais dans un trou noir. Adam et Tic-Tac ne l'écoutaient pas.

Ils trouvèrent Clodo assis sur un muret de béton près de la plage, et jetant du pain rassis aux mouettes. En chemin, Tic-Tac lui avait acheté un sandwich au poulet chez le traiteur. Clodo l'accepta et l'engloutit à toute allure, sans même s'arrêter pour respirer entre deux bouchées. Il ne leva les yeux sur eux que lorsqu'il eut fini de manger.

Clodo était très sale, et enveloppé dans un vieux pardessus fripé qui devait sortir tout droit d'une poubelle. Son visage maculé de traînées de poussière s'ornait d'une barbe de trois jours. Ses cheveux emmêlés avaient la couleur jaunâtre d'une vieille huile de vidange. Il donnait l'impression d'être âgé d'une soixantaine d'années, mais peut-être qu'après un bon bain, il en aurait paru quarante. Très maigre, avec des yeux étonnamment vifs et brillants, il n'avait pas l'air ivre, seulement affamé. Après avoir mangé, il les observa tour à tour, et son regard s'attarda sur Adam, qu'il examina de haut en bas.

– Tu es le nouveau venu, déclara-t-il enfin. J'ai entendu parler de toi.

– Vraiment ? s'étonna Adam. Qui vous a parlé de moi ?

– Je ne révèle jamais mes sources, répondit Clodo.

Il jeta les dernières miettes de son sandwich aux mouettes, qui voletèrent autour de lui comme s'il était Dieu le Père, et ajouta :

– Tu t'appelles Adam et tu viens de Kansas City.

– C'est exact, monsieur, dit Adam.

Clodo lui adressa un sourire de carnassier.

– Personne ne m'appelle plus monsieur, gamin. Et, pour tout avouer, je m'en moque. Je suis Clodo – c'est mon nouveau nom. Appelle-moi comme ça.

– Étiez-vous réellement le maire de la ville ? interrogea Adam.

Clodo hocha la tête.

– Oui, il y a bien longtemps. Quand j'étais jeune et

que je voulais être quelqu'un d'important... Mais j'étais un maire complètement minable.

– Je le lui ai dit, intervint Tic-Tac.

Clodo gloussa.

– Je m'en serais douté. Alors, Tic-Tac, qu'est-ce que tu me veux ? Que je te fasse découvrir le chemin secret ? Comment saurais-je si tu en es digne ?

– Quelles sont les qualifications requises ? demanda Tic-Tac.

Clodo leur fit signe de se rapprocher et se mit à parler d'un ton confidentiel :

– Il faut être sans peur. Si vous vous engagez sur le chemin et que vous découvrez les autres villes, la peur est la seule chose qui peut vous tuer. Mais si vous gardez la tête froide, si vous pensez vite, vous survivrez sans trop de mal à cette expérience. C'est la seule façon d'agir.

Adam retint sa respiration.

– Avez-vous déjà emprunté le chemin secret ?

– Plusieurs fois, gamin. Je l'ai pris à gauche et à droite. Je l'ai même pris tout droit, si tu vois ce que je veux dire.

– Non, je ne vois pas, avoua Adam en toute honnêteté.

– Le chemin secret ne débouche pas toujours au

même endroit, expliqua Clodo. Tout dépend de toi. Si tu as un peu peur, tu aboutiras à un endroit un peu inquiétant. Si tu es terrifié, ta terreur redoublera au terme du voyage.

– C'est cool! commenta Tic-Tac.

– Cool? se récria Sally. Qui a envie d'être terrifié? Viens, Adam, fichons le camp d'ici. Aucun de nous n'est qualifié. Nous sommes tous les deux des froussards.

– Parle pour toi! rétorqua Adam.

Le discours de Clodo lui semblait si convaincant qu'il avait du mal à y résister.

– Est-ce que le chemin peut mener à des endroits merveilleux? demanda-t-il.

– Oh oui! répondit Clodo. Mais ce sont les plus difficiles à atteindre. Seuls les meilleurs d'entre nous peuvent y parvenir. Les autres restent souvent bloqués dans des royaumes intermédiaires, et on n'entend plus parler d'eux.

– Ça ne me gênerait pas, dit Tic-Tac. J'adore ces histoires de mondes parallèles à la télévision. Montrez-nous le chemin, s'il vous plaît.

Clodo les observa tous les trois, et même si son sourire s'évanouit, une lueur amusée continua de danser au fond de ses yeux. Adam, qui l'avait pris jusqu'ici pour un individu plutôt sympathique, n'en était plus très sûr. Les paroles d'Anne Templeton, la pseudo-sorcière, lui revinrent en mémoire.

« *Tu rencontreras un autre adulte aujourd'hui. Il te dira des choses que tu n'as peut-être pas envie d'entendre. À toi de voir...* »

– Si je vous indique le chemin, reprit Clodo, vous devez me promettre de n'en parler à personne.

– Une seconde ! s'exclama Sally. Je n'ai jamais prétendu que je voulais être dans le secret.

Elle se couvrit les oreilles des deux mains et marmonna :

– Cette ville est déjà assez horrible, je n'ai pas envie de tomber sur une ville pire encore.

– Je te connais, Sally, gloussa Clodo. Tu es curieuse comme une chouette. Je t'ai observée, ces derniers temps. Chaque fois que tu te promènes, tu cherches le chemin secret.

Sally laissa retomber ses mains.

– Jamais de la vie !

– Je t'ai vue le chercher, dit Tic-Tac.

– C'était seulement pour... heu, en bloquer l'accès, afin que personne d'autre ne le trouve !

– Le chemin secret ne peut être bloqué, poursuivit Clodo en reprenant son sérieux. Il est très ancien. Il existait avant la construction de cette ville, et il continuera d'exister quand elle sera retombée en poussière. Quiconque s'y aventure ne sera plus le même, après. Les dangers sont nombreux, mais si on garde le cœur vaillant, grande est la récompense.

– Est-il possible de trouver un trésor ? hasarda Adam, de plus en plus captivé.

Clodo le regarda droit dans les yeux.

– Les richesses que tu pourrais trouver défient l'imagination.

– Quelques dollars ne me feraient pas de mal, avoua Sally, subitement intéressée.

Clodo rejeta la tête en arrière et éclata de rire.

– Vous formez une sacrée équipe, tous les trois, je le vois déjà. D'accord, je vais tout vous révéler. À condition que vous me promettiez de tenir votre langue.

– Nous le promettons, déclarèrent-ils à l'unisson.

– Parfait.

Clodo leur fit signe d'approcher de nouveau et murmura tout bas :

– Suivez la vie de la sorcière. Suivez-la jusqu'à sa mort, et n'oubliez pas que pour la mener à sa tombe, ils l'ont emportée à l'envers. Ils l'ont enterrée face contre terre, comme ils font pour toutes les sorcières. Toutes celles qu'ils ont peur de brûler.

Adam était déconcerté.

– Qu'est-ce que ça signifie?

Clodo ne voulut rien dire de plus. Il secoua la tête et se remit à lancer du pain aux mouettes.

– C'est un rébus, murmura-t-il. À vous de le déchiffrer.

— **A**lors là, c'est le bouquet! maugréa Sally quelques minutes plus tard, tandis qu'ils remontaient la colline en direction de la maison d'Adam. Nous étions tout excités à l'idée d'apprendre quelque chose d'extraordinaire, et Clodo se contente de nous débiter une énigme débile!

— Tu étais excitée, toi? s'étonna Adam. Je croyais que tu ne voulais pas découvrir le chemin secret.

— Je suis un être humain, dit Sally. J'ai le droit de changer d'avis.

Elle regarda Tic-Tac, qui restait muet.

— Tu n'es pas déçu?

— Pas encore, répondit Tic-Tac.

— Tu n'essaies pas de résoudre le rébus, j'espère? Tic-Tac haussa les épaules.

— Bien sûr que si.

– Mais ça n'a pas de sens ! Comment peut-on suivre la vie de la sorcière qui a fondé cette ville ? Elle est morte il y a presque deux cents ans. Et qu'est-ce que ça veut dire, de toute façon ? Une vie n'est pas une ligne tracée sur le sol. On ne peut la suivre comme on suivrait une route.

– Cette partie du rébus est plutôt facile, dit Tic-Tac. Qu'en penses-tu, Adam ?

Adam, qui retournait dans sa tête les paroles mystérieuses de Clodo depuis un bon moment, n'osait se prononcer. Tic-Tac était visiblement le plus intelligent du groupe, et il craignait de passer pour un imbécile à ses yeux. Après une hésitation, il suggéra néanmoins :

– Je pense que « suivre la vie de la sorcière » signifie qu'il nous faut repérer les lieux où se sont déroulés les événements importants de sa vie.

– C'est ridicule, objecta Sally.

– Mais probablement exact, dit Tic-Tac. En tout cas, c'est une explication valable. Continue, Adam. Qu'est-ce qui rend ces lieux si spéciaux, à ton avis ?

– Ce sont les étapes du chemin, poursuivit Adam, encouragé. Ce qui importe surtout, c'est de les aborder dans le bon ordre. Peut-être que le chemin secret est là, sous nos yeux, comme la combinaison chiffrée d'un cadenas. Pour ouvrir le cadenas, on doit d'abord tourner les molettes de façon à placer les chiffres dans l'ordre voulu.

Sally les regardait, stupéfaite.

– Mais c'est Sherlock Holmes et le Dr Watson ! Réveillez-vous, les garçons ! Clodo se paye votre tête. Il attend que vous lui rapportiez un autre sandwich pour vous concocter un autre rébus stupide. Si vous marchez, vous risquez de le nourrir comme ça pendant tout l'été.

Tic-Tac l'ignora.

– Je crois que tu as raison, Adam. Le chemin est probablement devant nous. C'est la chronologie des étapes qui compte – où il faut aller en premier, en deuxième, puis en troisième. Essayons de trouver le premier lieu. Où est née Madeleine Templeton ?

– Je l'ignore, répondit Adam. Je n'avais jamais entendu parler de cette femme avant ce matin.

Tic-Tac se tourna vers Sally.

– Tu le sais, toi ?

Elle haussa les épaules.

– Elle est née sur la plage, paraît-il.

– Qui te l'a dit ?

– Une vieille légende raconte que Madeleine Templeton fut déposée sur le sable par un vol de mouettes, un soir d'orage. En fait, elle aurait surgi du ciel à l'endroit exact où nous nous trouvions avec Clodo, tout à l'heure...

Sally fit une grimace et ajouta :

– Si vous pouvez gober *ça*.

– Tu gobes bien des tas de sornettes, observa Adam.

– J'ai mes limites, rétorqua Sally.

– Il y a peut-être un brin de vérité dans cette histoire, dit Tic-Tac. Du moment que l'endroit de sa naissance est correct, je me moque que ce soient des oiseaux, ou sa mère, qui l'aient mise au monde. Et si le lieu est exact, nous n'avons plus à chercher le point de départ du chemin secret – nous y sommes déjà allés.

Il réfléchit un moment.

– Cela me paraît sensé. Clodo a insisté pour nous livrer le rébus à cet endroit précis. Peut-être voulait-il nous aider.

– Qu'a-t-elle fait ensuite, cette Mme Templeton ? demanda Adam. Comment le savoir ?

– Il n'est peut-être pas nécessaire de tout connaître dans les moindres détails, répondit Tic-Tac. Il nous suffit de suivre le déroulement général de son existence. Il y a tant de récits sur Madeleine Templeton que ce sera moins difficile qu'il n'y paraît. Par exemple, je sais qu'à l'âge de cinq ans elle a pénétré dans l'arbre de Derby, dont toutes les feuilles sont devenues rouges instantanément.

– Comment un enfant peut-il pénétrer dans un arbre ?

– Ce n'était pas une enfant ordinaire, intervint Sally. Et ce n'est pas un arbre ordinaire. Il est toujours là, dans le pré de Derby, un vieux chêne aux branches feuillues qui pendent comme des mains pleines de griffes. Ses feuilles restent rouges toute l'année. On les dirait trempées dans le sang. Et il a un grand trou au milieu du tronc. On peut se glisser dedans et s'asseoir tout au fond – une seule personne à la fois. Mais si tu fais ça, ton cerveau se transforme en marmelade.

– Je l'ai fait, affirma Tic-Tac. Mon cerveau ne s'est pas transformé en marmelade.

– Tu en es bien sûr ?

Tic-Tac ne daigna pas répondre à cette question.

– Allons voir cet arbre, dit-il en accélérant l'allure. Je crois que j'ai une idée.

7

L'arbre correspondait bien à la description de Sally. Solitaire et dressé au milieu de son champ, il semblait avoir été le témoin de nombreuses batailles et en être resté tout éclaboussé de sang. Ses branches basses se courbaient jusqu'au sol, prêtes à se refermer comme un piège sur tout enfant qui se serait aventuré par là. Adam repéra le large orifice qui perçait son flanc, pareil à une gueule avide.

– Je connais un garçon qui est entré là-dedans et en est ressorti en parlant dans une langue étrange, affirma Sally.

– Ce n'est qu'un arbre centenaire qu'on prétend maudit, dit Tic-Tac. Je vais y entrer le premier pour vous montrer qu'il n'y a pas de danger.

– Comment te croire quand tu ressortiras ? objecta Sally. Tu ne seras peut-être même plus humain.

– Oh, Seigneur! soupira Adam.

Mais il était content que Tic-Tac passe le premier. Cet arbre couvert de feuilles rouge sang au début de l'été avait quelque chose d'inquiétant.

Ensemble, Sally et Adam regardèrent Tic-Tac s'approcher de l'arbre et se glisser dans le trou. Une minute s'écoula. Tic-Tac ne réapparut pas.

– Il reste bien longtemps, murmura Adam.

– L'arbre est probablement en train de le digérer, suggéra Sally.

– Pourquoi l'appelle-t-on l'arbre de Derby?

– Le vieux M. Derby a tenté de l'abattre un jour à coups de hache, expliqua Sally. Je n'avais que cinq ans à l'époque, mais je m'en souviens très bien. Il reprochait à l'arbre d'avoir fait disparaître un de ses enfants. Comme il en avait une bonne dizaine, il pouvait supporter d'en perdre un, à mon avis. Quoi qu'il en soit, il est arrivé un matin avec une énorme hache et en a balancé un grand coup contre l'arbre. Il a raté celui-ci et s'est coupé une jambe. Tu verras M. Derby clopiner à travers la ville sur sa jambe de bois. Tous les enfants l'appellent Traîne-la-Patte. Il sera le premier à te dire que cet arbre est vraiment démoniaque.

– J'aimerais bien que Tic-Tac sorte de là, dit Adam.

Il mit ses mains en porte-voix et appela :
— Tic-Tac !
Tic-Tac ne répondit pas. Cinq minutes s'écoulèrent. Adam était sur le point de courir chercher du secours quand leur ami montra enfin sa tête. Il s'extirpa du tronc de l'arbre avec difficulté, comme si l'ouverture avait soudain rétréci, et les rejoignit d'un air décontracté.

— Qu'est-ce que tu as fait pendant tout ce temps ? s'écria Sally.

Tic-Tac, étonné, consulta une de ses montres.

— Tu plaisantes ? J'ai dû rester là-dedans une minute à peine.

— Tu as disparu pendant au moins une heure, dit Sally.

— Dix bonnes minutes, pour être exact, rectifia Adam.

Tic-Tac fourragea dans ses cheveux blonds.

— C'est étrange. Je n'ai pas senti le temps passer.

— Tu ne nous as pas entendus t'appeler ? reprit Sally.

— Non. On n'entend rien, à l'intérieur de l'arbre... Alors, à qui le tour ?

— À moi, proposa Adam, désireux d'en finir.

— Un instant ! intervint Sally en examinant Tic-Tac

de la tête aux pieds. Qui nous dit que tu n'es pas différent ?

– Je me sens tout à fait normal.

– Laisse-moi quand même te poser une ou deux questions, juste pour vérifier que ton cerveau n'a pas été endommagé. Qui est la plus belle fille de Spooksville ?

– Toi.

– Et qui est le plus grand poète de Spooksville ?

– Toi, répéta Tic-Tac.

Adam ne put dissimuler son étonnement.

– Tu écris des poésies ? demanda-t-il à Sally.

– Oui, et elles sont épouvantables, répondit-elle. Je crois qu'il a le cerveau en très mauvais état.

– Si c'est le cas, ça doit remonter à ma naissance, ironisa Tic-Tac. Vas-y, Adam. Il me tarde de passer à l'étape suivante.

– D'accord.

Adam manquait un peu d'enthousiasme. Il se dirigea lentement vers l'arbre et constata qu'un léger frémissement agitait ses feuilles rouges, comme si elles étaient excitées à l'idée de le voir approcher. Son cœur battait à tout rompre. Si le temps évoluait à un rythme différent dans cet arbre – il venait d'en avoir la preuve –, peut-être que Sally et Tic-Tac seraient aussi vieux que ses parents quand il en émergerait. Il risquait même d'y rester coincé à jamais et de devenir une partie de l'arbre, un visage épouvanté taillé dans l'écorce épaisse.

L'orifice semblait vraiment plus étroit que dix minutes plus tôt. Adam décida d'entrer et de sortir le plus rapidement possible. Il hésita cependant; une étrange odeur émanait de l'intérieur de l'arbre, peut-être une odeur de sang. Jetant un coup d'œil par-dessus son épaule, il s'aperçut que ses amis, bien qu'étant toujours là où il les avait laissés, paraissaient éloignés de plusieurs centaines de mètres. Il leur adressa un petit salut de la main, et ils ne lui rendirent ce salut qu'au bout de quelques secondes. Bizarre.

« Il faut y aller, se dit-il. Sinon, Sally déclarera à qui veut l'entendre que je suis un trouillard. »

Rassemblant son courage, il se laissa basculer dans le trou en se contorsionnant. L'arbre l'engloutit tout entier. Une fois à l'intérieur, il trouva assez d'espace pour se redresser, mais dut garder la tête baissée. Courbé en deux, il regarda dehors à travers le trou et eut la surprise de constater que le décor avait perdu ses couleurs, comme dans un film en noir et blanc. Tout était étrangement silencieux; il n'entendait que le bruit de sa respiration et les battements de son cœur. Il lui sembla que l'arbre écoutait également son cœur battre et se demandait quelle quantité de sang ce garçon turbulent lui donnerait pour nourrir ses branches affamées...

« Sortons d'ici », résolut Adam. Il se faufila tant bien que mal hors du trou, qui devait avoir rétréci de moitié, et se trouva soudain coincé au niveau de la taille. Une exclamation étouffée lui échappa. L'arbre s'était refermé sur lui, le retenant comme dans un étau ! Ses mâchoires de bois menaçaient de le couper en deux !

– Au secours ! articula-t-il.

Sally et Tic-Tac accoururent. Tic-Tac l'empoigna sous les bras, Sally lui agrippa le cou, et tous deux tirèrent à qui mieux mieux. Impossible de le dégager. La douleur du côté de son ventre devenait insupportable. Il avait l'impression d'éclater.

– Oh... gémit-il.

Sally, au bord de la crise de nerfs, continuait de lui malmener le cou au risque de l'étrangler.

– Fais quelque chose, Tic-Tac ! hurla-t-elle. L'arbre est en train de lui dévorer les jambes !

– Il ne me dévore pas les jambes... haleta Adam. Il me scie le corps en deux.

– Un homme sur le point de mourir ne devrait pas discuter, répliqua-t-elle.

Tic-Tac lui lâcha tout à coup les bras.

– Attendez. Je sais comment m'y prendre.

Il s'approcha d'une branche basse et sortit un briquet de sa poche. Ayant allumé le briquet, il le promena sous la branche. L'arbre réagit aussitôt comme si quelque chose l'avait piqué. La branche se releva vivement, ses feuilles giflant Tic-Tac au passage et, au même moment, Adam sentit l'étreinte se relâcher.

– Vite ! cria-t-il. Sortez-moi de là !

Tic-Tac et Sally l'extirpèrent si brutalement de son trou qu'il atterrit dans le champ la tête la première. Une ronce lui griffa la joue, mais cette légère blessure ne put atténuer son immense soulagement. Tic-Tac l'aida à se remettre debout.

– Tu comprends pourquoi le vieux Derby voulait abattre cet arbre à coups de hache, déclara Sally.

– Ouais, répondit Adam tout en se palpant les flancs avec précaution.

Il n'avait pas de côtes brisées et semblait être encore en un seul morceau, mais il savait qu'il serait couvert de bleus le lendemain. S'il vivait jusque-là. Soudain, il avait perdu tout enthousiasme pour la quête du chemin secret.

– Sally n'entrera pas là-dedans, dit-il. Je m'y oppose.

– Rassure-toi, je n'en avais pas l'intention ! s'exclama l'intéressée.

– De toute façon, je ne crois pas que pénétrer dans l'arbre soit une épreuve obligatoire, observa Tic-Tac. Il suffit probablement que nous soyons venus jusqu'ici.

– Et c'est maintenant que tu le dis ! marmonna Adam.

– Abandonnons pendant qu'il en est encore temps, les copains, implora Sally. Cette aventure est trop dangereuse.

Mais Tic-Tac n'était pas de cet avis.

– Non, il faut continuer. Je sais ce qui vient ensuite et ça n'a rien de très dangereux.

Il regarda le vieux chêne par-dessus son épaule.

– Du moins, je l'espère.

Il existait d'autres anecdotes intéressantes sur Madeleine Templeton, et Tic-Tac en raconta plusieurs tandis qu'ils se rendaient à leur prochaine destination. On disait qu'à l'âge de seize ans elle s'était battue avec un énorme lion dans une caverne des collines.

– Il paraît qu'elle l'a égorgé de ses ongles, dit Tic-Tac. Elle les portait très longs.

– Et ils avaient le bout empoisonné, précisa Sally.

– Est-ce que cette caverne est l'étape suivante ? demanda Adam, sans enthousiasme.

Il ne voulait plus pénétrer dans des endroits qui risquaient de se refermer sur lui.

– Oui, répondit Tic-Tac. J'y suis déjà entré, et je n'ai pas eu de problèmes.

– Comme dans le vieux chêne, lui rappela Sally.

– Cette fois, nous sommes trois. Nous ne risquons rien.

– Ce plan me paraît mener tout droit au désastre, marmonna Sally. Mais en supposant qu'on ressorte vivants de la caverne, as-tu trouvé le reste du chemin ? Je n'ai pas envie de perdre mon temps et mon énergie à tourner en rond dans cette ville que je déteste.

Tic-Tac hocha la tête.

– Je crois avoir repéré les moments les plus importants de son existence. Nous ferons d'abord un saut à la caverne et, ensuite, nous irons voir la chapelle.

– Pourquoi la chapelle ? s'étonna Sally. Il me semble qu'elle n'existait pas du vivant de Madeleine Templeton.

– Non, mais on l'a bâtie plus tard à l'endroit où elle s'est mariée – un événement qu'on peut considérer comme crucial pour elle. Elle avait alors vingt-huit ans. Après la chapelle, nous nous rendrons au bord du lac.

– Que s'est-il passé près de ce lac ? demanda Adam.

– C'est là qu'elle a noyé son mari, dit Sally.

– En tout cas, c'est ce qu'on raconte, enchaîna Tic-Tac. Elle l'a ficelé comme un saucisson, puis l'a emmené faire un tour en barque et l'a poussé par-dessus bord, gémissant et hurlant.

– Pourquoi ?

– Elle croyait qu'il courait après une autre femme, expliqua Sally. En fait, elle se trompait. Mais elle l'a découvert trop tard, après avoir enterré vivante sa soi-disant rivale.

– Charmant ! commenta Adam.

– Après le lac, nous retournerons à la plage, reprit Tic-Tac. C'est là que les gens de la ville ont essayé de la brûler pour sorcellerie, la première fois.

– Que veux-tu dire par *essayé* ? s'étonna Adam.

– Le bûcher a refusé de prendre feu, dit Sally. Des serpents en sont sortis, et ils ont tué le juge qui l'avait condamnée à mort. Souviens-toi de cette histoire quand l'envie te démangera d'aller rendre visite à son arrière-arrière-arrière-arrière-petite-fille, Anne Templeton.

– Après la plage, nous terminerons par le cimetière, conclut Tic-Tac.

Sally s'arrêta pile.

– Jamais de la vie ! Il y a des morts vivants dans ce cimetière. Même toi, tu dois savoir que ce n'est pas une bonne idée.

– Il le faut. C'est là qu'on l'a enterrée. Pour aller au bout du chemin secret, nous devons suivre la vie de la sorcière jusqu'à la fin. Clodo a été très clair là-dessus.

– Clodo a été tout ce qu'on veut, sauf clair !

– Nous nous inquiéterons du cimetière en temps voulu, Sally, dit Tic-Tac.

– Ouais, rétorqua-t-elle, sarcastique. À ce moment-là, nous serons sans doute prêts à y entrer dans un cercueil.

Ils grimpèrent vers une des vastes cavernes qui surplombaient Spooksville. Adam était hors d'haleine en y parvenant, et il commençait à avoir faim. Vue de l'extérieur, la caverne ne paraissait pas menaçante. L'ouverture était large ; aucun d'eux n'aurait à se faire tout petit pour passer à travers. Mais dès qu'ils entrèrent, Adam sentit la température chuter d'au moins dix degrés. Il interrogea Tic-Tac là-dessus.

– Il y a des rivières souterraines d'eau glacée qui coulent dans les profondeurs de la terre, expliqua ce dernier. En tendant l'oreille, tu peux les entendre ruisseler.

Adam s'arrêta et écouta. Il entendit un léger clapotis – et de faibles gémissements au loin.

– Qu'est-ce que c'est que ça ? demanda-t-il aux autres.

– Des fantômes, répondit Sally.

– Les fantômes n'existent pas ! protesta-t-il, indigné.

– Écoutez M. le Réaliste, ironisa Sally. Il ne croit

pas aux fantômes alors qu'un arbre a failli l'avaler tout cru il y a une heure.

Elle se tourna vers Tic-Tac.

– Bon, nous avons fait notre devoir en venant jusqu'ici. Nous ne sommes pas obligés d'y prendre racine. Fichons le camp.

Tic-Tac acquiesça d'un hochement de tête. Ils sortirent de la caverne et prirent la direction de la chapelle. Sally voulait passer d'abord par le lac, qui se trouvait sur leur route, mais Tic-Tac insista pour suivre l'itinéraire dans l'ordre.

La chapelle se révéla l'étape la moins effrayante – si ce n'est qu'une cloche se mit à sonner dès qu'ils s'en approchèrent, et ne s'arrêta que lorsqu'ils repartirent. D'après Sally, la cloche leur conseillait de laisser tomber.

– Avant qu'il ne soit trop tard, précisa-t-elle.

Le lac donnait la chair de poule. En fait, il s'agissait d'un grand bassin artificiel rempli d'une eau grisâtre. Adam ne fut pas ravi d'apprendre que toute l'eau potable de la ville provenait de là. Le décor alentour était bizarrement silencieux. Les mots qu'ils échangeaient semblaient s'évanouir dans l'air. Sally se demanda à voix haute combien de cadavres gisaient au fond de l'eau.

– Je l'ignore, déclara Tic-Tac. Ce que je sais, c'est qu'aucun poisson ne peut vivre dans ce lac.

– Ils meurent ? s'étonna Adam.

– Oui, répondit Tic-Tac. Ils se jettent sur le rivage et ils meurent.

– Ils préfèrent se suicider que vivre là-dedans, renchérit Sally.

Adam poussa un soupir.

– Kansas City n'avait pas ce genre de problèmes.

Ils s'en retournèrent vers la plage. Le soleil descendait à l'horizon, et Adam pensa que ses parents s'inquiétaient peut-être à son sujet. Mais Tic-Tac était contre l'idée de faire un détour pour les prévenir qu'il allait bien.

– Nous ne devons pas nous écarter du chemin, dit-il. Nous serions obligés de tout recommencer depuis le début.

– De toute façon, tu risques de disparaître à tout jamais, ajouta Sally. Il vaut mieux ne pas donner à tes parents de faux espoirs.

Clodo n'était plus sur la plage, et Tic-Tac ne savait pas très bien à quel endroit la populace en colère avait tenté de brûler Madeleine Templeton deux cents ans auparavant. Il supposait toutefois que cela s'était passé près de la jetée, là où l'on trouvait en général bon nombre de souches de bois mort rejetées par l'océan.

– Ils étaient paresseux, en ce temps-là, déclara-t-il. Quand ils brûlaient quelqu'un, ils n'avaient pas envie de passer des heures à chercher du petit bois.

La jetée dégageait une impression parfaitement sinistre, mais Adam ne s'en émut guère. L'idée de se rendre au cimetière, leur prochaine étape, le préoccupait davantage. Les cimetières ordinaires ne figuraient pas sur la liste des endroits qu'il aimait visiter, et il soupçonnait celui de Spooksville d'être cent fois pire qu'un cimetière normal. Et tandis qu'ils s'acheminaient dans sa direction, Sally ne fit pas vraiment de son mieux pour le mettre à l'aise.

– Des tas de gens ont été enterrés à Spooksville sans être tout à fait morts, lui confia-t-elle. Le croque-mort local a tendance à précipiter les choses, histoire de faire marcher le commerce. Si tu attrapes un mauvais rhume, il te suggère de venir dans sa boutique choisir ton cercueil, juste au cas où tu t'étoufferais entre deux quintes de toux. Mais je dois admettre qu'un petit tour chez lui peut te guérir en un clin d'œil.

– J'ai entendu plus d'une fois de drôles de grattements sous terre en me baladant dans ce cimetière, dit Tic-Tac. Je crois que certaines personnes ont été enfermées trop vite dans leur cercueil.

– C'est horrible ! fit Adam, épouvanté. Tu aurais dû aller chercher une pelle pour les déterrer.

– J'ai les reins fragiles, objecta Tic-Tac.

– Et personne n'a envie de déterrer des gens qui ont séjourné dans leur tombe pendant des jours, ajouta Sally. Ils pourraient essayer de te manger le cerveau...

Adam était de plus en plus mal à l'aise.

– J'ai eu une journée un peu éreintante, les copains. Avec le déménagement, l'attaque de l'arbre et tout ça..., Je devrais peut-être rentrer me reposer, et vous rejoindre plus tard.

– Tu te dégonfles ? s'écria Sally.

– Non, répondit-il vivement. J'énonce un fait, c'est tout. D'ailleurs, tu étais contre ce projet dès le départ...

– Si tu as vraiment peur, intervint Tic-Tac, je ne veux pas te forcer, Adam.

– Je vous répète que je n'ai pas peur ! Je suis seulement fatigué.

– Pas de problème, dit Tic-Tac.

– Nous ne te reprocherons pas cette vague de fatigue subite et inattendue, ajouta Sally.

– Elle n'est pas subite et inattendue ! Si tu venais de faire tout le voyage depuis Kansas City, tu serais fatiguée, toi aussi.

– Surtout si on m'emmenait visiter un cimetière où les gens sont souvent enterrés vivants...

Adam se sentait coincé, humilié.

— D'accord, d'accord. J'irai au cimetière. Mais il faudra que je rentre à la maison tout de suite après.

— Si ce qu'affirme Clodo est vrai, observa Tic-Tac, il se peut que tu rentres chez toi plus tard que prévu.

Le cimetière était entouré d'un grand mur de brique. On y entrait par une grille en fer forgé dont les barreaux rouillés et tordus dressaient leurs piques vers le ciel. Les rares arbres qui jalonnaient le site mortuaire laissaient pendre des branches molles et sans vie ; ils ressemblaient à des squelettes d'arbres. La grille étant fermée, Adam ne voyait pas comment on pouvait la franchir, et il en éprouva un certain soulagement. Ils allaient être forcés d'abandonner. Malheureusement, Tic-Tac avait d'autres idées.

– Il y a quelques briques descellées dans le mur, à l'arrière du cimetière, dit-il. En rentrant le ventre, on peut se glisser à travers cette brèche.

– Et si on reste coincés ? s'inquiéta Adam.

– Tu devrais avoir l'habitude, ironisa Sally.

— Le mur de brique ne te fera pas de mal, reprit Tic-Tac. Il n'est pas vivant.

— Tout comme les gens qu'il protège, ajouta sournoisement Sally.

Passer à travers le mince orifice se révéla facile. Mais une fois qu'ils furent à l'intérieur et s'avancèrent parmi les tombes, Adam eut le pressentiment angoissant que rien d'autre ne le serait. Il n'avait décidément pas envie de batifoler autour de la sépulture de la sorcière morte. Il pouvait voir au loin son vieux château qui les dominait de toute sa hauteur. Sur le côté de l'immense bâtiment de pierre s'élevait une tour en ruine. Au sommet de cette tour, il lui sembla distinguer un rai de lumière rougeâtre derrière une fenêtre; la lueur d'un feu, peut-être, ou de nombreuses chandelles. Il imagina Anne Templeton assise dans la tour, vêtue d'une longue robe noire, et penchée sur une boule de cristal; elle regardait ces trois gamins qui osaient profaner les lieux où gisait son ancêtre et les maudissait. C'était une très belle femme, sans nul doute, mais en approchant de la tombe de son arrière-arrière-arrière-arrière-grand-mère, Adam commença à croire aux propos de Sally à son sujet. Il commença à croire également que Spooksville méritait son méchant surnom.

La pierre tombale de Madeleine Templeton, dressée à la verticale, était la plus grande du cimetière. Elle avait un aspect étrange. Au lieu d'être surmontée d'une croix, elle s'ornait d'un vautour sculpté, perché sur son dôme arrondi. L'oiseau les fixait comme il l'aurait fait d'une proie. Adam cligna des yeux sous son regard perçant. Au pied de cette stèle, à l'endroit où devait se trouver le corps de la défunte, la terre était nue, chose surprenante, car les herbes folles envahissaient le reste du cimetière. Adam en conclut que l'herbe ne pouvait pas pousser si près des restes d'une sorcière.

— Charmant endroit pour un pique-nique, dit Sally.

Elle se tourna vers Tic-Tac.

— Et maintenant, que fait-on ? On souhaite à voix haute pénétrer dans une autre dimension ?

— Je ne crois pas que ce soit si facile, répondit-il. Il faut trouver la solution de la dernière partie du rébus.

Il répéta les paroles de Clodo :

— « Suivez la vie de la sorcière. Suivez-la jusqu'à sa mort, et n'oubliez pas que pour la mener à sa tombe ils l'ont emportée à l'envers. Ils l'ont enterrée face contre terre, comme ils font pour toutes les sorcières. Toutes celles qu'ils ont peur de brûler... »

Il s'interrompit un instant pour nettoyer ses lunettes

à l'aide d'un pan de sa chemise, puis montra l'entrée du cimetière et reprit :

– L'entrée devait être la même à l'époque, donc ils ont fait passer le cercueil par là. Nous devrions ressortir et revenir vers la tombe en suivant la même voie. Mais, à mon avis, cela ne suffira pas. Clodo essayait de nous dire quelque chose de plus, avec ce « ils l'ont emportée à l'envers ». L'un de vous a-t-il une idée ?

– Pas moi, répondit Sally en s'éloignant de quelques pas pour s'affaler dans l'herbe. Je suis trop fatiguée, et j'ai trop faim.

Elle tapota le sol à ses côtés.

– Pourquoi ne pas te reposer, Adam ?

– Nous nous sommes déjà pas mal débrouillés en élucidant la majeure partie du rébus, dit Adam en s'asseyant dans l'herbe à son tour.

C'était bon de se détendre ; il avait l'impression d'avoir accompli tout le trajet à pied depuis Kansas City.

– Tu veux que je te masse les pieds ? proposa Sally d'une voix suave.

– Ça va comme ça, bougonna-t-il. Économise tes forces.

Tic-Tac s'était mis à déambuler autour de la tombe, l'air pensif. Adam le regarda un moment et lui lança :

– Écoute, nous pourrons toujours déchiffrer la fin du rébus plus tard !

– Mmmm... marmonna Tic-Tac derrière la stèle. Il faudra nous procurer un cercueil. Je m'allongerai à l'intérieur sur le ventre, et vous me transporterez jusqu'ici, couché à l'envers. On verra bien ce que ça donnera.

– Les cercueils de notre croque-mort se referment tout seuls, avertit Sally. N'oublie pas les grattements sous terre.

– Et nous n'aurons pas assez de force pour vous porter, toi et ton cercueil, ajouta Adam.

Il était distrait par la lueur rougeoyante émanant de la tour du château, qui commençait à luire d'un éclat plus vif. Peut-être Anne Templeton avait-elle allumé d'autres chandelles ou jeté une bûche supplémentaire dans le feu. Que faisait-elle, là-haut ? Était-elle vraiment une sorcière ? Pouvait-elle transformer les garçons et les filles en grenouilles et en lézards ? Sa voix douce et chaude chantait encore à ses oreilles. Tandis que Tic-Tac continuait d'aller et venir en donnant de petits coups de pied dans l'herbe, et que Sally somnolait, Adam se rappela les paroles de cette troublante créature.

« *Rien n'est tout à fait ce qu'il paraît. Tout individu*

75

a plusieurs facettes. Tu entendras raconter bien des choses sur moi – peut-être par cette fille maigrichonne qui t'accompagne, peut-être par d'autres –, mais sache qu'elles ne sont que partiellement vraies. »

Elle l'avait trouvé sympathique. Du moins le semblait-il. Elle ne pouvait pas lui vouloir du mal.

« *Tu as de beaux yeux, Adam, le sais-tu ? »*

Cette vive lueur en haut de la tour avait quelque chose de fascinant. Adam ne parvenait pas à s'en détourner. Il crut apercevoir la silhouette d'Anne Templeton contre la fenêtre.

« *Aimerais-tu me rendre visite un jour ? »*

Elle baissa les yeux sur lui. Lui sourit. Des reflets chatoyants dansaient sur son visage, sur ses lèvres rouges, dans son regard de chat.

Adam sentit ses membres s'engourdir peu à peu. Sally lui donna un coup de coude.

– Adam ?

– Oui... murmura-t-il.

Elle le secoua.

– Adam ! Qu'est-ce que tu as ?

Il la regarda, comme hébété. Elle jeta un coup d'œil vers la tour.

– Elle est en train de t'envoûter ! Réveille-toi !

Adam sortit de sa torpeur. Là-haut, la lumière

s'éteignit, la silhouette de la belle femme s'éclipsa. Le château paraissait complètement désert.

– Ça va, Sally, je t'assure.

Il avait tout de même un peu froid.

– Mais j'aimerais bien qu'on s'en aille, maintenant, dit-il. Où est Tic-Tac?

Sally regarda autour d'elle.

– Je ne sais pas.

Elle bondit sur ses pieds.

– Tic-Tac? Tic-Tac! Adam, je ne le vois plus! Tic-Tac!

Ils crièrent son nom pendant un bon moment.

Leur ami avait disparu.

10

Ils trouvèrent les lunettes de Tic-Tac au pied de la grande pierre tombale. Adam s'attendait presque à y voir du sang quand il les ramassa, mais elles étaient seulement tachées de poussière.

— Tic-Tac ne peut pas faire dix mètres sans ses lunettes, murmura Sally.

— Pourtant, il a dû repartir chez lui.

— Non, fit-elle d'un air sombre.

— Qu'est-ce que tu racontes ? Tu vois bien qu'il est parti.

— Non. Il n'est pas sorti du cimetière. Il s'est volatilisé.

Adam était troublé malgré lui.

— Ne dis pas de bêtises. En tout cas, je n'ai rien vu. Je regardais la tour, là-haut. Il y avait une lumière rouge derrière la fenêtre.

Il scruta le ciel et ajouta :

– Il est plus tard que je ne pensais. Tu crois que nous nous sommes endormis ?

– Je n'en sais rien. Je me suis étendue une minute, et... il me semble que j'ai rêvé tout éveillée.

– De quoi as-tu rêvé ?

Un éclair de frayeur traversa le regard de Sally.

– Du jour où ils ont enterré la sorcière. Je les ai vus transporter son corps jusqu'ici. Ils avaient peur. Peur qu'elle ne revienne brusquement à la vie... Mais ce n'était qu'un rêve, conclut-elle en haussant les épaules.

– Nous devons retrouver Tic-Tac. Ne serait-ce que pour lui rendre ses lunettes.

Adam se tourna vers l'arrière du cimetière, observant un instant la brèche par laquelle ils étaient entrés.

– Il n'a pas quitté le cimetière, répéta Sally d'un ton ferme.

– Alors, où est-il ?

– Tu ne comprends pas ? Il est allé jusqu'au bout du chemin secret. Il a franchi la porte qui mène à une autre dimension.

Elle montra la stèle dressée sur la tombe de la sorcière.

– Il est passé à travers ça.

– C'est impossible, voyons. Comment aurait-il traversé la pierre ?

– Il a dû faire quelque chose de spécial. Tu es sûr que tu n'as rien vu ?

– Non, je te l'ai déjà dit.

Sally fit le tour de la stèle sans cesser de se parler à mi-voix.

– Il essayait de deviner ce que signifiait la fin du rébus de Clodo. Il est tombé sur la solution par hasard.

Elle s'arrêta pour réfléchir, récita la formule une fois de plus :

– « Suivez la vie de la sorcière. Suivez-la jusqu'à sa mort, et n'oubliez pas que pour la mener à sa tombe ils l'ont emportée à l'envers... » C'est ce « à l'envers » qui me gêne. Tic-Tac n'a pas pu se diriger vers la tombe à plat ventre ! Il n'y avait personne pour le transporter.

Une idée germa soudain dans l'esprit d'Adam.

– Nous interprétons peut-être le rébus trop littéralement. Après tout, c'est un rébus. « À l'envers », ça peut vouloir dire « à reculons ».

– Tu crois ?

Il montra l'entrée du cimetière.

– Ils pourraient l'avoir transportée jusqu'ici à reculons. Si c'est le cas, tout ce que nous avons à faire

– à supposer que nous soyons au bout du chemin secret –, c'est approcher de la stèle à reculons, en lui tournant le dos.

– Essayons ! s'écria Sally.

– Attends une seconde. Et si ça marche ?

– Nous voulons que ça marche. Il faut rendre ses lunettes à Tic-Tac. Tu n'as pas de nouveau la frousse, j'espère ?

– Pour commencer, je n'ai jamais eu peur ! protesta Adam. Ce que je dis, c'est que même si nous pénétrons dans une autre dimension, comment saurons-nous que nous sommes dans la même dimension que Tic-Tac ? D'après Clodo, il existe plusieurs Spooksville, de l'autre côté.

– Le seul moyen de le découvrir, c'est d'essayer. Nous devons prendre ce risque.

Adam secoua la tête.

– Je préfère le prendre tout seul. Toi... tu restes ici, et tu montes la garde.

– Tu plaisantes ? Je viens avec toi.

– Non. Tu l'as dit toi-même, ça pourrait être dangereux.

Sally le dévisagea.

– Tu n'es pas en train d'essayer de m'impressionner, n'est-ce pas ? Parce que si c'est le cas, ce n'est pas nécessaire. J'ai déjà le béguin pour toi.

– Je n'essaie pas de t'impressionner, soupira Adam. J'essaie seulement de t'empêcher de te faire tuer.

– Adam, tu viens d'arriver. J'ai grandi à Spooksville. Les initiatives dangereuses font partie de mon quotidien.

Elle lui tendit la main.

– Viens, nous franchirons le passage ensemble. Comme ça, si nous atterrissons dans le royaume maudit de la sorcière, j'aurai quelqu'un de mignon à mes côtés pour me tenir compagnie durant l'éternité.

Adam hésita.

– Tu penses vraiment que je suis mignon ?

– Oui. Mais que ça ne te monte pas à la tête ! Et moi, tu ne me trouves pas mignonne ?

– Heu, si, fit-il d'un air embarrassé. Tu es plutôt pas mal.

Sally lui donna une bourrade.

– Pas mal ? J'ai l'air pas mal ? Eh bien, il te reste encore deux ou trois choses à apprendre sur les filles ! Allons-y vite avant que je ne me mette en colère.

Adam étreignit la main tendue et s'aperçut que Sally tremblait.

– Tu as peur ?

– Je suis terrifiée, avoua-t-elle.

Il hocha la tête.

– Moi aussi. N'empêche qu'il faut essayer. Notre ami est peut-être en danger.

– Tu parles comme un héros de cinéma, dit Sally.

– La comparaison me plaît.

Ensemble, ils retournèrent jusqu'à l'entrée du cimetière. Puis, sans se lâcher, ils commencèrent à revenir à reculons vers la pierre tombale. C'était difficile, parce qu'ils étaient obligés de regarder sans cesse par-dessus leur épaule pour ne pas trébucher. Le ciel s'assombrissait. En approchant de la stèle, Adam avait le cœur battant. Du coin de l'œil, il lui sembla voir la lumière rouge vaciller de nouveau dans la tour d'Anne Templeton. Il crut même distinguer son image qui lui adressait un petit signe moqueur.

La stèle était juste derrière eux. Ils la frôlèrent.

Une brusque rafale de vent souleva un tourbillon de feuilles mortes et de poussière qui les obligea à fermer les yeux.

– Adam! cria Sally.

Adam sentit le sol se dérober sous ses pieds. Il eut l'impression de tomber dans le vide du haut d'une falaise. C'était une chute vertigineuse au fond d'un gouffre invisible, une chute qui l'entraînait aux confins du monde et, cependant, il tombait sans se déplacer. La terre et le ciel se confondirent, cessèrent d'exister. Adam continua d'agripper aveuglément la main de Sally tandis que le souffle puissant qui les emportait s'apaisait peu à peu et les déposait enfin, avec une légèreté surprenante, dans un autre temps, une autre dimension.

11

La pierre tombale se dressait à présent devant eux. Le décor alentour était sombre et sinistre. Sally tenait toujours Adam par la main. Elle chuchota :

– On nous a fait nous retourner.

– On nous a fait plus que ça, lui répondit-il sur le même ton.

L'éclat diffus de la tour d'Anne Templeton traversait le ciel noir, répandant jusqu'à l'horizon une faible lueur rougeâtre. Les arbres étaient totalement nus, prêts à lacérer de leurs branches griffues quiconque s'en approcherait. Tout autour d'eux gisaient des pierres tombales renversées, brisées, couvertes de toiles d'araignées et de poussière. Beaucoup étaient tombées, semblait-il, parce que les corps dont elles marquaient l'emplacement les avaient repoussées en sortant de terre. Adam frissonna. Au loin, du côté du château, ils entendirent soudain des cris – les cris des damnés.

– Il faut sortir de là ! bégaya Sally. Repassons à travers la stèle !

– Et Tic-Tac ? interrogea Adam.

– S'il est ici, nous ne pouvons probablement rien pour lui.

D'autres cris retentirent, et la main de Sally tressaillit dans celle d'Adam.

– Vite, allons-nous-en ! Avant qu'un mort vivant ne vienne nous dévorer !

Ils tournèrent le dos à la pierre dressée et s'en approchèrent de nouveau à reculons. Mais cette fois, ils se cognèrent dedans. Le marbre solide était infranchissable. Le piège se refermait sur eux.

– Ça ne marche pas ! dit Adam.

– Je le vois bien, rétorqua Sally. Mais pourquoi ?

– Je ne sais pas. J'arrive tout juste de Kansas City, souviens-toi.

Les cris en provenance du château montaient de plus belle. À leur gauche, dans un coin du cimetière, quelque chose s'agita sous terre, éparpillant une brassée de feuilles mortes. Peut-être un autre cadavre se frayant à coups d'ongles un chemin vers la surface. Ils n'attendirent pas de le vérifier.

– Fichons le camp ! s'exclama Sally.

Ils franchirent en courant la grille rouillée du cimetière. Une fois dehors, ils aperçurent la mer en contrebas, loin devant eux. Elle luisait d'un vert étrange, malsain, comme du liquide éjecté d'une usine radioactive. Un brouillard était suspendu au-dessus des eaux. Adam crut distinguer des formes qui se mouvaient dans les profondeurs marines. Des monstres affamés. Il s'arrêta un instant pour reprendre haleine.

– On se croirait dans *Au-delà du réel*, murmura-t-il.

– Je veux rentrer chez moi, gémit Sally.

– Est-ce que tu y tiens vraiment ? Qu'allons-nous y trouver ?

Sally hocha la tête, montrant qu'elle comprenait.

– Peut-être que nous rencontrerons d'inquiétantes contreparties de nous-mêmes, dans cette affreuse dimension, reprit Adam. Tu crois que c'est possible ?

C'était une idée terrifiante.

– Je crois qu'ici tout est possible, dit amèrement Sally. Mais j'aimerais quand même mieux être chez moi.

– D'accord, acquiesça Adam.

Ils prirent donc le chemin du retour, en usant toutefois de mille précautions. En fait, ils évitèrent les trottoirs de Spooksville. Ils filaient de fourré en fourré, d'arbre en arbre, de peur d'être repérés. Ils ne virent personne, en tout cas pas nettement ; mais à chaque coin de rue, ils croyaient apercevoir une ombre fugitive. *Quelque chose* semblait les suivre.

– Cet endroit donne l'impression d'avoir été dévasté par une guerre, chuchota Sally.

Adam hocha la tête.

– Une guerre contre les forces du mal.

Un spectacle désolant s'offrait à leurs yeux. La plupart des maisons étaient détruites. Beaucoup avaient été incendiées, et des volutes de fumée s'élevaient encore de leurs cendres, se mêlant à la brume qui montait de la mer. Celles qui restaient en place étaient désertes et, comme les pierres tombales du cimetière, couvertes de poussière et de toiles d'araignées.

Qu'est-ce qui en avait chassé les habitants ? Qui les avait remplacés ? Des formes obscures se déplaçaient sous les nuages rougeoyants ; des chauves-souris géantes à la recherche d'une proie fendaient le ciel en émettant des cris aigus. Accrochés l'un à l'autre, Adam et Sally se précipitèrent chez eux.

Ils se rendirent d'abord chez Sally, et constatèrent que sa maison avait pratiquement disparu. Un grand arbre, dont elle affirma qu'il n'existait pas dans le monde réel, était tombé en travers du toit, écrasant le bâtiment. En cherchant parmi les décombres, ils ne trouvèrent aucune trace de ses parents.

— Ils sont sans doute partis, dit-elle.

— Peut-être que tu ne les aurais même pas reconnus, murmura Adam.

Sally réprima un frisson et demanda :

— Tu veux toujours retourner chez toi ?

— Je n'ai pas d'autre endroit où aller. Et si ça se trouve, nous sommes prisonniers de ce monde à tout jamais...

— Ne dis pas ça, je t'en prie !

— C'est pourtant la vérité.

— La vérité est parfois bien triste, observa Sally, accablée.

12

La maison d'Adam tenait encore debout. Il frappa à la porte, mais personne ne répondit. Le brouillard traînait autour d'eux, teinté de rouge orangé comme le ciel. Une ambiance idéale pour Halloween *. Adam colla son oreille à la porte, s'attendant à entendre chuchoter des vampires et déambuler des zombies de l'autre côté.

– Nous ne sommes pas obligés d'entrer, dit Sally.

– Je veux voir comment vont mes parents.

– Ils sont peut-être devenus des espèces de... choses.

Adam posa néanmoins la main sur la poignée.

* *N.d.T.* Halloween : fête américaine au cours de laquelle les enfants adoptent des déguisements macabres et font le tour des maisons du voisinage pour effrayer leurs occupants en échange de quelques friandises.

– Tu n'es pas forcée de m'accompagner.

– Pourquoi ne m'as-tu pas convaincue de rester de l'autre côté de la pierre tombale ? gémit Sally en promenant son regard sous le porche poussiéreux.

– J'ai essayé.

– Je sais, soupira-t-elle. Allons-y.

À l'intérieur, il faisait tout noir. La lumière du salon ne marchait pas. Ils le traversèrent à tâtons et pénétrèrent dans la cuisine. Il y avait une volaille rôtie sur la table – du moins ce qu'il en restait, car une myriade d'asticots et de cafards grouillaient sur sa chair noircie, achevant de la dévorer. Adam, qui mourait de soif, ouvrit le robinet au-dessus de l'évier dégoûtant de saleté. Un jet de vapeur en jaillit.

– À la tienne ! dit Sally.

Ils grimpèrent à l'étage, vers les chambres à coucher. Adam jeta un coup d'œil dans la sienne en premier. Il se contenta d'entrouvrir la porte, retenant sa respiration, craignant que quelque terrifiante créature ne lui saute au visage. Mais il n'y avait personne. Seulement des livres poussiéreux, achetés des années plus tôt dans le monde réel. Son blouson favori, qu'un ami lui avait offert à Kansas City, était suspendu en l'air, au milieu d'une gigantesque toile d'araignée.

– Elle est là-bas, au pied du mur, chuchota Sally en montrant un coin de la chambre.

L'araignée était aussi grosse qu'un chat, d'un noir luisant, hérissée d'un pelage graisseux. Elle dardait sur eux des yeux féroces tout en faisant claquer ses mandibules tachées de sang. Ils refermèrent la porte en toute hâte.

– Je ne pense pas qu'une bombe insecticide nous serait de la moindre utilité, murmura Sally.

Adam regarda ensuite dans la chambre de sa sœur. Elle était également vide, à l'exception d'une autre araignée géante. Mais dans la chambre de ses parents, sur le lit, il distingua deux formes allongées sous un édredon sale. Il s'en s'approcha lentement.

– Tu ne devrais peut-être pas les déranger, chuchota Sally derrière lui d'une voix tendue.

– J'ai besoin de vérifier.

– Non, implora-t-elle.

Elle le retint par la ceinture. Adam fit un bond en l'air et se retourna.

– Ne refais jamais ça ! souffla-t-il.

– Chut ! Écoute, j'entends quelque chose au-dehors. Un bruit qui semble se rapprocher.

Adam s'arrêta. Il n'entendait rien.

– Ce n'est que ton imagination.

Il s'avança de nouveau vers le lit, se pencha, releva doucement l'édredon.

Un cri lui échappa.

Il avait sous les yeux un homme et une femme réduits à l'état de squelette. Ils devaient être morts depuis pas mal de temps. Leurs cheveux pendaient sur leur crâne desséché, leur mâchoire était grande ouverte. Des insectes se promenaient sur leur corps décharné. Adam remit vivement l'édredon en place et ses yeux s'emplirent de larmes.

– Ce ne sont pas mon père et ma mère, balbutia-t-il.

– Bien sûr que non, dit Sally en lui caressant l'épaule. Tes parents sont vivants dans le monde réel. Tu les retrouveras, et ce sera comme si tu t'éveillais d'un mauvais rêve...

Elle se figea soudain.

– Quelqu'un vient, Adam !

Il entendit aussi, cette fois. Un claquement de sabots dans la rue. Le trot régulier d'un cheval.

– C'est nous qu'on cherche, j'en suis sûre ! reprit Sally, paniquée. Fichons le camp d'ici ! Allons nous cacher quelque part !

Adam lui étreignit le bras.

– Non, réfléchis ! Pour nous cacher, cet endroit en vaut un autre. Restons plutôt dans cette pièce.

– Avec eux ? s'exclama-t-elle en désignant le lit d'un air effaré.

Adam lui fit signe de se taire, un doigt sur les lèvres.

– Attendons que le bruit s'éloigne.

Mais le bruit ne s'éloigna pas. Il s'arrêta au contraire juste en face de la maison.

– Maintenant, nous sommes dans le pétrin, soupira Sally.

Il y eut un silence, suivi d'un lourd martèlement de pas sur les marches du perron. La mystérieuse présence parvint à la porte et, sans s'arrêter, l'ouvrit d'un coup de pied. Le fracas du bois brisé fit tressaillir le cœur d'Adam dans sa poitrine. Sans lâcher le bras de Sally, il l'entraîna dans le couloir. Il connaissait à peine le plan de la maison, venant tout juste d'y emménager – dans l'autre dimension. Mais il savait qu'il y avait au bout de ce couloir une petite lucarne donnant sur le toit. De là-haut, il leur suffirait de sauter dans le jardin.

Adam atteignit la fenêtre au moment où les pas arrivaient en haut de l'escalier.

Par-dessus son épaule, il distingua à l'autre bout du couloir une haute silhouette revêtue d'une cotte de mailles.

Cela ressemblait à un chevalier. Un chevalier noir, qui se dirigeait vers eux.

Dans sa main droite, il tenait une longue épée argentée.

Il n'avait pas l'air amical.

Adam ouvrit la lucarne à la volée et y poussa Sally, la tête la première. Elle se faufila à travers et atterrit sur les bardeaux du toit. Tandis qu'elle s'éloignait à l'aveuglette sur le toit glissant, il prit appui sur le rebord de la lucarne et tenta de se glisser au-dehors à son tour ; mais son poursuivant l'avait déjà rejoint. Une main l'empoigna brutalement, le ramena en arrière et le fit basculer à terre, contre le mur. Il vit confusément le chevalier se pencher sur lui et brandir son épée argentée.

Adam eut la certitude que cet homme allait le décapiter.

Puis il y eut un éclair aveuglant, et tout devint noir.

13

Quand Adam revint à lui, il était affalé sur un sol de pierre dure, le corps endolori, et il avait froid. Entendant quelqu'un respirer à ses côtés, il se redressa et scruta la pénombre.

– Qui est là? chuchota-t-il.

– Tic-Tac. C'est toi, Adam?

Adam fut envahi par une vague de soulagement – après quoi il constata qu'un bracelet d'acier lui encerclait le poignet, et qu'il était enchaîné au mur. Au fur et à mesure que ses yeux s'habituaient à la pénombre, il distingua autour de lui des barres de métal et se rendit compte qu'il se trouvait, en compagnie de Tic-Tac, dans une minuscule cellule de fer au fond d'un sombre corridor. Il y avait d'autres cellules identiques de part et d'autre de la leur. Elles étaient apparemment peuplées de formes silencieuses ou assoupies.

— Où sommes-nous ?

— Dans les souterrains du château de la sorcière, répondit Tic-Tac en se rapprochant. Ou, pour être plus précis, dans sa prison.

On l'avait enchaîné au mur lui aussi, mais sa chaîne était assez lâche pour lui permettre de tendre le bras jusqu'à toucher Adam. Il le dévisagea en clignant des yeux.

— Tu n'aurais pas mes lunettes, par hasard ?

Adam fouilla dans sa poche.

— Tiens. Les voilà.

Il tendit ses lunettes à Tic-Tac, qui fut obligé de redresser la monture pour les remettre sur son nez. Adam songea qu'il avait dû les tordre en tombant. Il se palpa la tête et eut le plaisir de constater qu'elle tenait toujours à son cou. Son crâne s'ornait d'une belle bosse, mais à ce détail près, il se sentait en assez bon état. Son dos et ses jambes, cependant, étaient raides et gelés. Il demanda :

— Combien de temps suis-je resté sans connaissance ?

— Ils t'ont déposé ici il y a deux heures environ, l'informa Tic-Tac.

— Et Sally ?

— Elle a pénétré avec toi dans cette dimension ?

– Oui. J'ai essayé de l'en empêcher, mais tu la connais. Tu ne l'as pas vue ?

– Non, déclara Tic-Tac. Mais ça vaut peut-être mieux pour elle.

– Pourquoi ?

– Je crois que la sorcière nous réserve une mauvaise surprise.

– Et cette sorcière, tu l'as aperçue ? À quoi ressemble-t-elle ?

De sa main libre, Tic-Tac gratta sa crinière dans le noir.

– Elle ressemble à Anne Templeton, mais ses cheveux sont rouges et non pas châtains. Cela mis à part, on peut affirmer qu'Anne Templeton est le portrait craché de son arrière-arrière-arrière-arrière-grand-mère, Madeleine Templeton.

– Quoi ? La sorcière morte il y a deux cents ans ? Tu veux dire que ce serait elle qui nous retiendrait prisonniers ?

– Ouais. Ou alors, il s'agit du double d'Anne Templeton dans cette dimension. Difficile de distinguer entre les deux.

Adam se rappela une fois de plus les paroles d'Anne Templeton. « *Je vous reverrai tous les deux plus tard – dans d'autres circonstances.* »

– Je crois que nous avons affaire à la contrepartie d'Anne Templeton, murmura-t-il, songeur. En tout cas, je l'espère. Anne ne paraissait pas réellement méchante.

– Tu ne l'as pas encore rencontrée, dit Tic-Tac. Moi oui. Elle envoie son chevalier noir kidnapper des garçons et des filles. J'ai vu quelques-uns des gamins qui sont ici depuis un certain temps. Il leur manque à tous quelque chose. Tantôt c'est le nez, tantôt les yeux, tantôt les oreilles ou même la bouche.

« *Tu as de beaux yeux, Adam, le sais-tu ?* »

Adam était horrifié.

– Et qu... que fait-elle de ces... parties du visage ?

Tic-Tac haussa les épaules.

– Peut-être qu'elle les collectionne, comme moi je collectionne les timbres.

– Tu collectionnes les timbres ? s'étonna Adam. Moi, c'est les tickets de matches de football...

Il prit un temps et ajouta :

– Cependant, je ne pense pas qu'elle accepterait de nous rendre notre liberté en échange de nos collections... Au fait, comment as-tu atterri dans cette cellule ? C'est le chevalier noir qui t'a attrapé ?

– Ouais. Il m'a sauté dessus dès que j'ai franchi la pierre tombale. Il m'attendait dans le cimetière.

– Alors, il savait que tu allais venir.

Tic-Tac réfléchit.

– J'y ai pensé aussi. Ça signifie qu'Anne Templeton devait nous surveiller du haut de sa tour et qu'elle
a compris ce que nous étions en train de faire. Ça
signifie aussi qu'elle peut communiquer avec la sorcière qui est de ce côté.

Il fronça les sourcils.

– Mais je ne vois pas comment nous pouvons utili-
ser ce détail pour nous enfuir.

– Tu étais conscient quand ils t'ont amené ici ?

– Ouais. Figure-toi que ce château est bizarre. Mis
à part ce donjon, il est rempli de pendules.

– Tu dois te sentir à l'aise, ironisa Adam.

– Ces pendules ont quelque chose d'inhabituel.
Elles marchent toutes à l'envers.

– Voilà qui est intéressant. Pour venir à ton
secours, nous avons traversé la pierre tombale de la
sorcière en marchant à reculons.

Tic-Tac hocha la tête.

– C'était la clé du mystère. La solution du rébus.

– Toutefois, quand nous avons voulu repartir dans
le monde réel, nous avons procédé de la même façon,
et il ne s'est rien passé.

– Vous avez voulu repartir ? Vous alliez me laisser
tomber ?

– Nous pensions que tu étais mort.
Tic-Tac eut l'air de comprendre.
– J'aurais probablement agi de la même façon...
Il s'interrompit pour tendre l'oreille.
– Attention ! Je crois qu'elle vient.

14

Une grande porte de fer s'ouvrit au fond du corridor. Le chevalier noir apparut le premier, ses semelles métalliques frappant le sol avec un fracas qu'Adam ne reconnaissait que trop.

Derrière lui s'avançait la sorcière.

C'était Anne Templeton et ce n'était pas elle.

Tic-Tac disait vrai. Elle avait les mêmes traits et la même apparence – hormis le rouge éclatant des longs cheveux qui retombaient en cascade sur ses épaules, donnant l'impression qu'un feu liquide dansait au-dessus de sa cape noire. Cependant, toute ressemblance s'arrêtait là. Anne Templeton paraissait décontractée, dotée d'un certain humour, et peu effrayante. Le visage de cette femme, au contraire, était très inquiétant. Il dégageait un étrange rayonnement. Ses yeux, aussi verts que ceux de sa sœur interdimensionnelle, brillaient comme des éme-raudes.

La sorcière vint se poster devant Tic-Tac et Adam, le chevalier noir à ses côtés. Pendant un moment, elle les observa tous les deux à travers les barreaux, et son regard se fixa finalement sur Adam. Un léger sourire se dessina sur ses lèvres – un sourire aussi glacial que ses yeux.

– Est-ce que tu apprécies Spooksville ? lui demanda-t-elle. Tu as vu tout ce qu'il fallait voir ?

– C'est un endroit très agréable, madame, répon-dit-il.

Le sourire s'élargit.

– Je suis contente que ça te plaise. Mais demain, tu ne verras plus la ville de la même façon. Elle te paraî-tra sans doute très obscure.

Adam comprit qu'elle projetait de lui ôter les yeux.

– Madame, bégaya-t-il, vous vous souvenez que j'ai empêché un caddie de rayer votre voiture ? Vous m'avez dit : « Merci, Adam. C'était gentil de ta part. »

Il acheva d'une voix éteinte :

– Je croyais que vous étiez mon amie.

La sorcière rejeta la tête en arrière et éclata d'un rire strident.

– Tu dois me confondre avec quelqu'un d'autre !

Elle s'approcha, étreignit les barreaux entre ses doigts. Adam remarqua qu'elle portait une bague ornée d'un rubis à la main droite. Le cœur de la pierre précieuse luisait comme de la braise.

– Je ne suis pas Anne Templeton, mais je la connais bien. Les squelettes que tu as trouvés chez toi ne sont pas ceux de tes parents, encore qu'ils puissent l'être dans le futur. Mais rien de tout cela ne te concerne pour le moment. Tu es sur le point de t'enfoncer dans les ténèbres éternelles. Tu n'as qu'une seule chance de l'éviter. C'est de me dire où se cache ton amie Sally.

Adam devina que Sally avait dû leur échapper. Il pouvait au moins remercier le ciel pour ça. Tandis que la sorcière attendait sa réponse, il se redressa fièrement, tirant sur sa chaîne.

– Je ne sais pas où elle est, déclara-t-il. Et si je le savais, je ne vous le dirais pas. Pas même si vous menaciez de me plonger dans une marmite d'eau bouillante.

– Qu'est-ce qui te prend de parler d'eau bouillante ? marmonna Tic-Tac. Pas la peine de lui donner des idées.

La sorcière sourit de nouveau, un peu tristement cette fois.

– Tu as de si beaux yeux, Adam. Ils te rendent bien séduisant quand ils sont à leur place.

Sa voix se durcit.

– Mais je suppose qu'ils feront le même effet sur une de mes poupées.

Elle leva la main et claqua des doigts.

– Emmenez-les là-haut. Nous n'attendrons pas demain pour pratiquer l'opération.

Le chevalier noir empoigna son épée et s'avança, menaçant.

15

Enchaînés l'un à l'autre, Adam et Tic-Tac furent traînés le long d'un escalier de pierre tortueux et propulsés dans ce qui semblait être le salon du château. C'était une salle peuplée d'ombres mouvantes, faiblement éclairée par la lueur rouge des bougies et la flamme dansante des torches, et dont les murs s'ornaient de vieux portraits qui semblaient épier vos mouvements. Le plafond obscur, là-haut, se voyait à peine.

Sous le regard attentif de la sorcière, le chevalier noir les enchaîna à un pieu de fer dressé dans un coin de la pièce.

Tout autour d'eux, Adam remarqua diverses pendules qui marchaient à l'envers, ainsi que Tic-Tac l'en avait informé.

Il remarqua aussi quelque chose d'autre. Quelque chose qui tenait de la magie.

Au centre de la pièce, sur un socle richement ciselé d'or et d'argent, s'élevait un gigantesque sablier de cristal. Le sable qui passait à travers son col étroit étincelait comme de la poudre de diamant.

Mais au lieu de se déverser de haut en bas, ce sable refluait du fond du sablier vers le sommet.

L'intérêt d'Adam pour le sablier parut amuser la sorcière. Elle sourit.

– Dans votre monde, il y a un conte à propos d'une fillette qui traverse un miroir et se retrouve au Pays des Merveilles. Le même principe s'applique ici. Seulement, vous avez traversé une pierre tombale et vous vous êtes retrouvés au Royaume de la Magie. Vous serez peut-être surpris d'apprendre qu'il existe un sablier identique à celui-ci dans votre Spooksville. Là-bas, le sable se déverse de haut en bas et le temps s'écoule dans le bon sens. Vous comprenez?

– Oui, dit Adam. Ici, le sable remonte de bas en haut et le temps s'écoule à l'envers.

Elle approuva d'un hochement de tête.

– Mais pour toi, maintenant, il va s'arrêter. Quand on n'a plus d'yeux, quand on ne distingue pas le jour de la nuit, le temps semble immobile.

Elle fit un pas vers lui.

– C'est ta dernière chance, Adam. Dis-moi où se trouve Sally et je te laisserai partir.

– Vous ne me donnez pas une dernière chance, à moi ? intervint Tic-Tac.

– Toi, tu la fermes ! répliqua la sorcière. Pendant que tu le peux encore. Dans quelques minutes, tu n'auras plus de bouche à fermer.

– J'ai votre parole que vous me laisserez partir ? demanda Adam.

– Bien sûr.

– La parole d'une sorcière ne vaut rien, dit Tic-Tac. Ce sont toutes des menteuses.

Adam pesa un moment le pour et le contre.

– Tic-Tac a raison, déclara-t-il enfin. Vous ne comptez pas me laisser partir. Dès que vous aurez mis la main sur Sally, vous m'ôterez les yeux. Autant me les prendre tout de suite et nous épargner à tous les deux une perte de temps.

Un éclair de colère déforma les traits de la sorcière. Mais elle sourit de nouveau, tendit la main et effleura le menton d'Adam de ses ongles acérés.

– Cela ne m'ennuie pas de perdre mon temps avec toi, dit-elle doucement. Et puisque tu as mentionné une marmite d'eau bouillante, je crois que je vais vous faire prendre un bon bain à tous les deux avant de vous opérer. Un bain particulièrement chaud qui vous ramollira la peau. Qu'est-ce que tu en penses ?

Adam déglutit péniblement.

– Je préfère généralement les douches, madame.

La sorcière éclata de rire et regarda le chevalier.

– Venez, nous devons tout préparer pour ces braves garçons.

Elle érafla le menton d'Adam d'un coup d'ongle, y faisant perler une goutte de sang, puis se détourna et s'éloigna en marmonnant :

– Nous verrons s'ils sont toujours aussi courageux quand ils se mettront à hurler.

Le chevalier s'empressa de la suivre, et tous deux disparurent dans une pièce attenante.

Adam regarda son ami.

– Désolé d'avoir parlé d'eau bouillante, s'excusa-t-il.

– Il y a pire, fit Tic-Tac en haussant les épaules.

– Quoi, par exemple ?

Tic-Tac médita là-dessus, le front plissé.

– Je ne trouve rien pour le moment.

Puis il hocha la tête en direction du sablier.

– Curieux phénomène magique, tu ne trouves pas ? La sorcière en a fait tout un plat. Je me demande si ce n'est pas ce sablier qui contrôle le mouvement du temps dans cette dimension.

– Je me demandais la même chose, répondit Adam.

Il y eut une minute de silence pesant, après quoi Tic-Tac reprit la parole :

— Bon, que fait-on, maintenant ?

— Tu n'aurais pas une idée lumineuse ?

— Non. Et toi ?

Adam tira sur la chaîne qui les emprisonnait. Elle était très solide.

— Autant espérer un miracle ! Il faut se rendre à l'évidence. Pour nous, les carottes sont cuites.

Tic-Tac tira de son côté, sans plus de résultat.

— La situation semble en effet désespérée, dit-il. Désolé de t'avoir entraîné dans cette histoire de chemin secret. Ce n'était pas la manière idéale de t'accueillir à Spooksville.

— Tu n'as rien à te reprocher. Je voulais venir.

Adam poussa un soupir, et les larmes affluèrent à ses yeux.

— Je me sentirais légèrement mieux si j'étais sûr que Sally est saine et sauve.

— Comme c'est gentil ! s'écria la voix de Sally.

16

Sally les regardait à travers les barreaux d'une étroite fenêtre située à trois mètres environ au-dessus d'eux. Elle était sale et visiblement exténuée, mais ne semblait pas avoir perdu le moral pour autant.

– Sally! s'exclama Adam. Qu'est-ce que tu fabriques ici?

– J'essaie de vous secourir, les garçons, expliqua-t-elle. Mais je n'ai pas encore trouvé le moyen d'entrer dans le château.

– Il faut t'en aller! dit Adam. De toute façon, nous sommes fichus. Tu dois sauver ta peau!

Tic-Tac s'éclaircit la gorge.

– Heu, excuse-moi. Si elle veut m'aider à me sortir de là, ça ne me gêne pas.

Adam réfléchit.

– Tu as raison, ce n'est peut-être pas une mauvaise idée. À condition qu'elle ne se fasse pas prendre.

Il leva de nouveau la tête vers Sally.

– Tu ne pourrais pas te faufiler entre ces barreaux ? Ils ont l'air assez espacés.

– Oh, je peux m'y glisser, pas de problème, dit-elle. Mais ensuite, qu'est-ce que je suis censée faire ? Atterrir à vos pieds en vol plané ?

Tic-Tac désigna le plafond.

– Il y a cette espèce de lustre, là-haut. Tu pourrais sauter et t'y accrocher.

– Il n'est pas très éloigné du rebord de la fenêtre, ajouta Adam.

– Vous me prenez pour Tarzan ? protesta Sally. Je ne peux pas me suspendre à un lustre. Je risque de me blesser.

– C'est vrai, reconnut Tic-Tac. Mais on s'apprête à nous ébouillanter. Le temps de prendre des précautions est passé.

– Je suis d'accord, opina Adam.

– Je croyais que tu t'inquiétais pour ma sécurité !

– Bien sûr, déclara Adam en toute hâte. C'est seulement que nous sommes...

– Plus inquiets pour la nôtre, interrompit Tic-Tac.

– Je n'ai pas dit ça ! s'indigna Adam.

– Tu le pensais, rétorqua Tic-Tac.

Il consulta une de ses montres.

– Si tu veux essayer de nous sauver, Sally, il vaut mieux le faire tout de suite. La sorcière et son chevalier noir vont revenir d'un instant à l'autre.

Sally parvint à passer entre les barreaux métalliques en se tortillant – elle faillit rester coincée – et s'accroupit sur le rebord de la fenêtre. Puis elle regarda le lustre – garni de bougies à la place d'ampoules électriques – d'un air sceptique. Il n'était qu'à deux mètres d'elle environ, mais la distance paraissait énorme.

– Et si je le rate et que je m'écrase par terre ?

– Ce sera moins douloureux que d'être bouilli, objecta Adam.

– Mais que faudra-t-il que je fasse une fois accrochée à ce lustre ?

– On s'occupera de ça si tu vas jusque-là, dit Tic-Tac.

– À bien y réfléchir, soupira Sally, vous me décevez, les garçons. Aucun de vous ne correspond vraiment au prototype du héros.

Elle rassembla tout son courage.

– Bon, j'y vais. Un... deux... trois !

Elle bondit en l'air, et ses doigts agrippèrent de justesse le rebord du lustre. Son poids tendit aussitôt la corde qui suspendait ce dernier au plafond et le fit descendre par saccades. Comme Tarzan ou Jane accrochés à une liane, Sally progressa ainsi en se balançant jusqu'au sol. Le lustre s'écrasa à terre, les bougies se dispersèrent et s'éteignirent en renversant de la cire rouge. Par bonheur, les torches fichées le long des murs permettaient encore d'y voir clair. Sally se releva, s'épousseta avec désinvolture et se dirigea vers eux.

– Saviez-vous, leur annonça-t-elle, que le fossé qui entoure ce château est rempli de crocodiles ?

– On s'occupera de ça si on va jusque-là, répéta Tic-Tac.

Il lui montra ses chaînes.

– Je suppose que tu n'as pas la clé de ces machins dans ta poche ?

– Hélas non, répondit Sally en regardant autour d'elle. Où est la sorcière ?

– Elle nous fait couler un bain, dit Adam.

Il se tourna vers Tic-Tac.

– Nous devons accepter l'idée que nous ne briserons pas ces chaînes. Mais Sally pourrait briser autre chose...

– Quoi donc ? demandèrent les deux autres en chœur.

Adam désigna le sablier d'un signe de tête.

– C'est sa fierté et son orgueil. La plupart des sorcières ont un chat noir ; elle, elle a ce truc-là. Peut-être que c'est la source de son pouvoir. Renverse-le, Sally. Brise le verre et répands le sable par terre.

L'idée enchanta immédiatement Sally. Ou du moins Adam le supposa en la voyant se jeter sur le sablier comme un lion affamé sur un zèbre dodu. La chose n'était pas soudée à son socle. Quelques coups de pied, et elle se renversa. Le sablier heurta le sol avec un bruit fracassant. La paroi de cristal vola en éclats. La poussière de diamant s'éparpilla.

C'est alors qu'un véritable cataclysme frappa le royaume cauchemardesque.

Dans un vacarme assourdissant et une suffocante averse de poussière, les murs du château commencèrent à se craqueler. Les torches tressautèrent violemment sur leur support et la plupart s'éteignirent, plongeant la pièce dans la pénombre. Le sol fut secoué de tremblements. Et, surtout, le pieu de fer auquel Adam et Tic-Tac étaient enchaînés se cassa en deux, et leurs chaînes tombèrent à terre sous leurs yeux ébahis. Au loin, ils entendirent la sorcière hurler de fureur.

– Nous ferions mieux de déguerpir à toute vitesse ! s'écria Adam en empoignant la main de Sally. Elle n'a pas l'air contente.

Tic-Tac rajusta ses lunettes.

– C'est le moins qu'on puisse dire, fit-il sans s'émouvoir.

Tandis qu'ils se précipitaient vers ce qu'ils espéraient être la liberté, Adam s'arrêta net.

– Attendez une seconde ! On ne peut pas abandonner les autres.

– Quels autres ? demanda Sally.

Le sol continuait de s'agiter sous leurs pieds.

– Il y a quelques gamins dans le souterrain, expliqua Tic-Tac. Ils ont l'air gentils. Sauf qu'il leur manque des morceaux.

– Nous devons absolument les faire sortir de là avant que le château ne s'effondre, reprit Adam.

Sally et Tic-Tac échangèrent un regard.

– Le voilà qui joue de nouveau les héros, soupira-t-elle.

– Nous n'aurions jamais dû le traiter de froussard, renchérit Tic-Tac.

Adam trépignait d'impatience.

– Retournons les chercher !

Contre toute attente, Sally se rangea à son avis.

– Autant y aller, déclara-t-elle. De toute façon, tout ce qui nous attend dehors, c'est un troupeau de crocodiles affamés...

Juste avant de quitter la pièce, Adam se baissa pour ramasser une poignée de la poussière de diamant répandue par le sablier. Elle étincela dans sa main comme un million de microscopiques soleils. C'était magique, vraiment. Il l'enfouit dans sa poche.

Ils dégringolèrent l'escalier de pierre menant à la prison. Mais en parvenant devant les cellules, ils découvrirent que toutes les grilles s'étaient ouvertes sous la violence du choc. Les prisonniers s'étaient déjà échappés.

– Où sont-ils passés ? s'étonna Adam.

– Il se peut que ce corridor mène vers une sortie, suggéra Tic-Tac. Je sens comme un courant d'air venant de l'extérieur.

– J'aimerais autant, marmonna Sally. Je n'ai pas envie de traverser à la nage le fossé du château. Ces crocodiles sont plutôt antipathiques.

– Comment as-tu fait pour venir jusqu'ici ? interrogea Adam.

– J'ai dit au garde que j'étais une amie personnelle de la sorcière et que j'avais rendez-vous avec elle.

Elle haussa les épaules.

– C'était un troll. Plutôt stupide. Il a baissé le pont-levis pour moi.

La terre se convulsa de nouveau. Tous trois

faillirent tomber. Derrière eux, l'escalier s'effondra en une pile de moellons. Adam aida Sally à reprendre son équilibre.

– Voilà qui résout la question, dit-il. Nous n'avons plus le choix. Il ne nous reste qu'à foncer droit devant nous.

Ils s'élancèrent le long de l'obscur corridor.

Une bouffée d'air frais leur caressa le visage.

Derrière eux, ils pouvaient entendre vociférer la sorcière, et l'écho de ses malédictions qui les poursuivait.

17

Le souterrain débouchait en plein cimetière. C'était à la fois une bonne et une mauvaise nouvelle ; bonne, parce qu'il leur fallait obligatoirement passer par le cimetière pour s'enfuir à travers le portail inter-dimensionnel ; mauvaise, parce que les cadavres qui gisaient encore sous terre, comprenant que leur monde touchait à sa fin, se démenaient à présent pour remonter à la surface. Tandis que nos trois amis couraient vers la pierre tombale, une main décharnée jaillit du sol et agrippa Sally par la cheville.

– Au secours ! cria-t-elle.

Adam et Tic-Tac volèrent à son aide. Malheureusement, le squelette n'avait pas perdu ses forces en même temps que son tissu musculaire. C'était un squelette robuste. Sally ne parvenait pas à se dégager. Sa jambe droite s'enfonçait peu à peu dans un trou, elle devint hystérique. Adam l'empoigna à bras-le-corps et tira de toutes ses forces.

– Ne me lâche pas ! supplia-t-elle.

– Bien sûr que non ! Tic-Tac, aide-moi ! Fais quelque chose !

– Quoi, par exemple ? demanda Tic-Tac.

– Va prendre un de ces bâtons, dit Adam en désignant les branches mortes qui gisaient entre les tombes. Coince-le entre la jambe de Sally et la main du squelette. Ça pourrait l'induire en erreur.

– Je ne suis pas maigre à ce point, protesta Sally tout en se débattant farouchement pour rester à la surface.

Lentement mais sûrement, Adam perdait sa bataille contre le monstre invisible. Le trou s'élargissait. Sally continuait de s'enfoncer.

– Tic-Tac, dépêche-toi ! aboya-t-il.

Tic-Tac trouva un bâton convenable, le planta sans ménagement le long de la jambe de Sally et s'en servit comme d'un levier pour essayer de la déterrer. Elle poussa un cri et lui assena un coup de poing dans le dos.

– Tu me fais mal ! se plaignit-elle.

– Arrête de geindre ! rétorqua-t-il. Tu gênes ma concentration.

La jambe disparut un peu plus et Adam faillit lâcher prise.

— Adam ! s'écria Sally désespérément.

— Sally ! s'écria-t-il sur le même ton.

— Si tu m'aimes, supplia-t-elle, mets ta jambe dans le trou. Peut-être qu'il s'accrochera à toi et me laissera en paix !

— Il faudrait qu'il t'aime vachement, marmonna Tic-Tac en voyant qu'Adam ne faisait pas mine d'offrir sa jambe en sacrifice. Tiens bon encore quelques secondes. Je crois que... oui ! Il a mordu à l'hameçon ! Il a saisi le bâton ! Tu peux sortir de là, Sally !

— Avec joie !

Dès que la créature relâcha Sally, Adam fut en mesure de l'extirper de son trou. Il l'aida à se débarrasser de la terre qui collait à ses vêtements. Elle finit par le repousser.

— La dernière chose qui me préoccupe en ce moment, c'est mon apparence, déclara-t-elle.

Puis elle montra la pierre tombale.

— Comment passe-t-on à travers ce machin ?

— Nous devons y réfléchir très vite, dit Tic-Tac en regardant le château écroulé par-dessus son épaule. Car nous avons de la compagnie.

C'était exact. Le chevalier noir arrivait sur eux.

Et derrière lui, la sorcière.

18

Ils se précipitèrent vers la pierre tombale à reculons, mais leurs efforts leur valurent seulement de se cogner le dos. La porte interdimensionnelle refusait de s'ouvrir.

– Pourquoi est-ce que ça ne marche pas? demanda Sally.

– Tu devrais poser la question à la sorcière, marmonna Adam. Elle sera là dans une minute.

– Le chevalier la devancera, annonça Tic-Tac. Regardez, il est déjà derrière cet arbre. Il nous faudrait des armes. Quelques gros bâtons.

– Quelques grenades, ce serait mieux, observa Sally.

Ils se hâtèrent de ramasser des branches solides et se placèrent en demi-cercle autour de la pierre tombale. Le chevalier approchait, l'épée à la main. Derrière lui, à deux cents mètres environ, la sorcière s'avançait d'un pas assuré au milieu du cimetière dévasté. Sa chevelure flamboyait au vent, une férocité mortelle se lisait dans son regard vert. Quand le chevalier ne fut plus qu'à une dizaine de mètres, Adam ordonna aux autres de s'écarter.

– Nous lui sauterons dessus de tous côtés, dit-il.

Ils se déployèrent. Le chevalier, quoique grand et fort, était gêné par son armure. N'écoutant que son courage, Adam bondit en avant et frappa aveuglément son genou d'acier, le faisant vaciller. Sally se montra plus audacieuse encore. Arrivant sur lui par-derrière, elle lui assena un coup violent sur la tête. Il n'aima pas ça.

Le chevalier pivota. Il se rua sur Sally en levant son épée.

Tic-Tac et Adam étouffèrent un cri.

Sally se baissa juste à temps. Le chevalier manqua sa cible et trébucha en avant. Tic-Tac saisit cette occasion pour laisser tomber son bâton et lui sauter dessus. Il lui agrippa le cou de ses bras et le chevaucha littéralement, comme à califourchon sur une monture au galop.

– Qu'est-ce que tu fais ? cria Adam.

– J'ai vu ça dans un film ! répondit Tic-Tac qui avait du mal à rester accroché à sa prise.

– Lâche-le ! s'exclama Sally. Il va te tuer !

Trop tard. Le chevalier tendit la main par-dessus son épaule, agrippa le bras de Tic-Tac et bascula en avant avec une agilité surprenante. Tic-Tac effectua un vol plané et atterrit durement sur le dos. Il resta un moment sans bouger, à demi assommé. Le chevalier le maintint plaqué au sol du bout du pied, un sourire de triomphe aux lèvres. Adam et Sally, impuissants, observaient la scène. Leurs bâtons leur semblaient dérisoires. Le chevalier leur faisait face ; impossible de l'affronter directement sans risquer d'être découpés en morceaux.

Le chevalier souleva lentement son épée. Dans une seconde, Adam n'en doutait pas, Tic-Tac n'aurait plus de tête.

C'est alors qu'une main osseuse surgit de terre. Ses doigts crochus se mirent à tâtonner à droite et à gauche. Comme guidée par un invisible radar, elle scannait le secteur. Penché sur Tic-Tac, le chevalier n'avait rien remarqué.

La main se referma sur sa cheville d'acier.

Il se détourna de Tic-Tac en fronçant les sourcils et baissa les yeux sur la chose qui le retenait.

La main tira fortement. Le chevalier perdit l'équilibre et s'affala en arrière, lâchant son épée.

Un autre bras squelettique émergea et s'enroula autour de son cou. Le chevalier commença à s'enfoncer.

Adam, Sally et Tic-Tac, qui s'était relevé, le regardèrent se débattre, à la fois horrifiés et soulagés. Mais leur soulagement fut de courte durée.

– Vous vous amusez bien ? s'enquit la voix de la sorcière.

Dans leur lutte avec le chevalier, ils l'avaient momentanément oubliée. Elle se tenait à quelques mètres et les toisait de son regard cruel, un rictus aux lèvres. Le rubis de sa bague lançait mille feux.

– Vous m'avez créé plus de problèmes que prévu, dit-elle. Mais vous êtes tous les trois en mon pouvoir, maintenant !

Adam se pencha pour ramasser l'épée du chevalier. Elle était incroyablement lourde. Faisant signe aux autres de se placer derrière lui, il pointa la lame acérée sur la sorcière.

– Un pas de plus, et je vous transperce ! menaça-t-il.

– Ha, ha ! ricana-t-elle.

Elle s'avança avec désinvolture et vint se placer entre eux et la pierre tombale. Puis elle leva la main droite, celle qui s'ornait de la bague étincelante.

– Pauvre fou! Même si tu avais cent hommes et cent épées à ta disposition, tu ne me ferais pas peur. Sais-tu que je pourrais te liquéfier en un clin d'œil?

– Je crois qu'elle parle sérieusement, intervint Sally.

– Nous devrions peut-être discuter les termes de notre capitulation, suggéra Tic-Tac.

– Non, dit Adam. On ne marchande pas avec une sorcière. Et nous n'aurons peut-être pas à le faire. Une idée vient juste de me traverser l'esprit. Ici, les pendules marchent à l'envers. Le temps marche à l'envers. Tout marche à l'envers. Peut-être qu'il suffit de marcher dans le bon sens pour rentrer chez nous.

– Hein? fit Sally.

– Bien sûr! s'écria Tic-Tac, tout excité. Comment n'y ai-je pas pensé plus tôt! Si ce monde est l'inverse du nôtre, nous devrions marcher dans le bon sens, et non à reculons, pour franchir la pierre tombale!

– Pourquoi fallait-il que tu trouves ça juste au moment où la sorcière nous barre le passage? marmonna Sally.

La sorcière ricana de plus belle.

– Oui, Adam, ta brillante idée a quelques

secondes de retard. Tu as perdu la partie, reconnais-le.

Sa main gauche caressait le joyau de sa main droite, qui devenait de plus en plus incandescent. Son sourire s'élargit, elle ajouta :

– N'oublie pas que j'ai besoin de tes yeux pour une de mes poupées.

Adam en avait assez de ses menaces.

– Je ne suis pas encore aveugle ! s'écria-t-il.

Il se rua en avant, brandissant son épée, mais il n'alla pas très loin. Une langue de feu jaillit du rubis étincelant. Elle frappa la pointe de l'épée, lécha le tranchant de la lame. Sentant sa paume devenir brûlante, Adam lâcha vivement l'arme du chevalier, qui tomba à ses pieds et se mit à fondre en une petite flaque argentée. Il la regarda un moment, sidéré, et ne releva la tête que trop tard. Déjà, la sorcière se jetait sur lui et le saisissait à la gorge. L'éclat terrifiant de son regard vert l'obligea à cligner des paupières.

– Je crois que je vais t'arracher les yeux ici même, grogna-t-elle. Devant tes amis. Montrons-leur ce qu'il advient de ceux qui osent me défier.

– Juste une seconde, s'étrangla Adam. J'ai quelque chose pour vous. Quelque chose que j'ai volé dans votre château.

La sorcière relâcha son étreinte, les sourcils fron-
cés.

– Tu m'as volé quelque chose ? Qu'est-ce que
c'est ?

– Je vais vous le montrer, répondit Adam.

Il fouilla dans sa poche et en retira une poignée
de la poussière du sablier.

La poussière de diamant. La substance magique.

Il tendit la main, paume ouverte, sous le nez de la
sorcière interloquée. Puis, fermant les yeux, il avala
une bonne bouffée d'air et lui souffla la poussière en
pleine figure.

Elle poussa un hurlement et recula en se frottant
les yeux. Ce faisant, elle trébucha sur la tête du chevalier noir – la seule chose qui émergeât à présent
de ce malheureux. Avec un autre cri de rage, elle
tomba à la renverse. Des mains osseuses surgirent
du sol et agrippèrent ses cheveux rouges. Elles
tirèrent dessus, et la sorcière commença à s'enfoncer.

Adam n'attendit pas de voir si elle était capable
de se libérer.

– Filons ! cria-t-il aux autres.

Se tenant par la main, Sally entre les deux garçons, ils bondirent vers la pierre tombale.

Le monde tourbillonna, pivota sur lui-même. La terre devint le ciel et le ciel devint l'océan. Ils tombaient, immobiles, dans un abîme sans fin. Finalement, tout devint noir et le temps sembla s'arrêter.

Puis ils découvrirent qu'ils se trouvaient de l'autre côté de la pierre tombale.

Un ciel bleu brillait au-dessus de leur tête. Ils étaient de retour chez eux.

Sains et saufs, à Spooksville.

ÉPILOGUE

Adam raccompagna Sally chez elle. Tic-Tac était parti acheter un autre sandwich au poulet pour l'offrir à Clodo et bavarder avec lui. Il voulait savoir s'il n'existait pas un autre chemin secret – comme si le premier ne lui avait pas donné suffisamment d'émotions pour la journée. Adam et Sally lui souhaitèrent bonne chance.

– Tâche de ne pas perdre tes lunettes, cette fois, recommanda Adam. Il n'est pas question que je te les rapporte.

Tout en marchant dans les rues du *vrai* Spooksville, Adam et Sally remarquèrent que le soleil était pratiquement au-dessus de leurs têtes. Le temps semblait avoir régressé pendant leur absence.

– Curieux, dit Adam. Nous voilà presque revenus au moment de notre rencontre.

Ils se dirent au revoir devant l'allée de chez Sally.

– Je t'inviterais bien à entrer, déclara-t-elle. Sauf que mes parents sont un peu méfiants.

– Ça ne fait rien. Il vaut mieux que je rentre à la maison pour aider Papa à décharger la fourgonnette.

Sally le regarda droit dans les yeux.

– Je t'aime bien, Adam.

Il se sentit nerveux.

– Moi aussi, je t'aime bien.

– Alors, veux-tu m'avouer quelque chose, s'il te plaît ?

– Quoi ?

– Comment s'appelait-elle ?

– Qui ça ?

– La fille que tu as laissée derrière toi.

– Je n'ai laissé aucune fille derrière moi, je te l'ai dit.

– Je n'ai donc pas besoin d'être jalouse ?

Adam ne put s'empêcher de rire.

– Tu n'as pas besoin d'être jalouse, Sally. Je te le promets.

– Je suis bien soulagée.

Elle lui sourit et lui étreignit l'épaule.

– Je te reverrai bientôt ?

– Probablement demain.

Adam rentra chez lui. Ses parents et sa sœur étaient dans la cuisine, encore en train de déjeuner.

– Déjà de retour ? s'étonna son père.

Adam s'efforça de garder un air naturel.

– Ouais, fit-il. Comment va ton dos, Papa ?

– Beaucoup mieux, répondit M. Freeman.

– Et la ville ? intervint sa mère.

– Intéressante.

Adam réfléchit un instant avant d'ajouter :

– Je crois qu'ici je ne vais pas m'ennuyer.

À PROPOS DE L'AUTEUR

On sait peu de chose sur Christopher Pike, qui a la réputation d'un homme étrange. Selon la rumeur, il serait né à New York et aurait grandi à Los Angeles. On l'a vu à Santa Barbara dernièrement. Probablement y vit-il. Mais personne ne connaît son âge et ne peut dire à quoi il ressemble. Il est possible que ce ne soit pas un être humain, plutôt une créature excentrique venue d'un autre monde. Quand il n'écrit pas, il reste assis et contemple les murs de son immense maison hantée. Un petit troll extrêmement laid déambule autour de lui dans l'ombre et lui chuchote à l'oreille des histoires effrayantes.

DÉCOUVRE VITE

SPOOKSVILLE 2

LE FANTÔME DE L'OCÉAN

Macabre découverte

Adam examina le décor avec sa torche. C'est alors qu'il vit quelque chose de plus effrayant encore que l'anguille électrique.

Mille fois plus effrayant.

C'était un crâne luisant qui flottait dans sa direction. En fait, un squelette entier.

Adam hurla. Personne ne l'entendit.

Et le squelette se rapprochait.

Cet ouvrage a été réalisé par la
SOCIÉTÉ NOUVELLE FIRMIN-DIDOT
Mesnil-sur-l'Estrée
pour le compte des Éditions Pocket
en mars 1997

POCKET - 12, avenue d'Italie - 75627 Paris Cedex 13
Tél. : 01-44-16-05-00

Imprimé en France
Dépôt légal : mars 1997
N° d'impression : 36899